CLAUDE MURCIA

Professeur de littérature comparée à l'université de Poitiers

D1269962

NOUVEAU ROMAN
NOUVEAU CINÉMA

ouvrage publié sous la direction de
Claude Thomasset

NATHAN

À Giosi et Claudio

Du même auteur :

Un chien andalou - L'Âge d'or, de Luis Buñuel, Nathan Université, coll. « Synopsis », 1994.

Femmes au bord de la crise de nerfs, de Pedro Almodovar, Nathan Université, coll. « Synopsis », 1996.

Juan Benet. Dans la pénombre de Région, Nathan Université, coll. « fac. », 1998.

Je remercie Alain Robbe-Grillet, André Gardies, Michel Fano, Michel Marie et Dominique Blüher.

Photographie de couverture : Marie-France Pisier dans *Trans-Europ-Express*.
© Catherine Robbe-Grillet.

Édition : Claire Hennaut
Conception de couverture : Noémi Adda
Conception graphique intérieure : Agence Média

Ce logo a pour objet d'alerter le lecteur sur la menace que représente pour l'avenir de l'écrit, tout particulièrement dans le domaine universitaire, le développement massif du « photocopillage ».

Cette pratique qui s'est généralisée, notamment dans les établissements d'enseignement, provoque une baisse brutale des achats de livres, au point que la possibilité même pour les auteurs de créer des œuvres nouvelles et de les faire éditer correctement est aujourd'hui menacée.

Nous rappelons donc que la reproduction de la vente sans autorisation, ainsi que le recel, sont passibles de poursuites. Les demandes d'autorisation de photocopier doivent être adressées au Centre français d'exploitation du droit de copie : 3, rue Hautefeuille, 75006 Paris. Tél. : 01 43 26 95 35.

SOMMAIRE

AVANT-PROPOS

Embrasser en 128 pages deux champs de création aussi vastes et aussi complexes que le Nouveau Roman et le nouveau cinéma ressemble à une gageure. Tout d'abord parce que le flou conceptuel qui les entoure rend malaisée et problématique toute tentative de les ériger en objets d'étude précisément délimités et d'en fixer le contenu. Mais aussi parce qu'une telle démarche ne peut que réduire et simplifier, et que, procédant par inclusion, elle rejette d'emblée vers les marges les divergences d'écriture qui fondent l'originalité de chaque œuvre. La frustration qui s'ensuit – tant pour l'auteur de la présente étude que pour le lecteur – n'a d'égale que la réticence des Nouveaux Romanciers à être absorbés par un « même label fourre-tout et réducteur », comme l'écrit dans *Curriculum Vitae* (1996) Michel Butor, qui se plaint de l'adhérence de l'étiquette : « Ça me colle à la peau ! Aujourd'hui encore, dans les manuels scolaires ou les dictionnaires, Butor, c'est le Nouveau Roman ! On dirait que mon travail s'arrête en 1960... » De son côté, Claude Simon, dans son dernier livre – *Le Jardin des Plantes* –, ironise sur la manie autoréférentielle du Nouveau Roman des années soixante, tout en rappelant ce qui l'en éloignait.

Cependant, si l'on s'en tient au phénomène socioculturel, force est de constater que le Nouveau Roman a bel et bien existé – doublé d'un nouveau cinéma plus confidentiel. Sa place incontestable et incontestée dans l'histoire littéraire conduit logiquement à s'interroger sur la nature du « mouvement » et son rôle dans l'évolution du roman.

Les études sur les Nouveaux Romanciers abondent. D'excellentes analyses existent également sur le cinéma de Robbe-Grillet, de Duras ou de Resnais. Les ouvrages de synthèse sont plus rares. Celui-ci est le premier à réunir dans une perspective comparatiste les deux champs créatifs, sous-tendus par une même posture esthétique et idéologique. Notre travail a souvent consisté à rassembler des matériaux existants et à les agencer selon une logique que l'on espère convaincante ; à prélever par ailleurs dans un corpus foisonnant des exemples représentatifs. Dans le but d'éviter un essaimage qui, sans jamais épuiser la matière de référence, eût tôt fait de conduire à la confusion, nous avons préféré les emprunter à un nombre restreint de textes particulièrement éclairants pour notre propos.

ÉTAT DES LIEUX

1. LE ROMAN

1.1 La faillite du discours rationaliste

La première guerre mondiale signe l'écroulement définitif du système de valeurs qui avait dominé la deuxième moitié du XIXe siècle, fondé sur les certitudes positivistes et la foi dans le progrès humain. Le roman d'alors, « réaliste » puis « naturaliste », se fait l'écho de cette confiance rationaliste, engendrée par l'adhésion aux interprétations scientistes du réel. Émanation d'une bourgeoisie triomphante, il traduit par sa plénitude formelle et sémantique son accord avec le monde[1].

Cependant, la fin de siècle avait déjà commencé à saper les bases du discours rationaliste avec l'apparition des thèses bergsonniennes sur le temps et la mémoire et la revalorisation de la démarche intuitive. La pensée de Nietzsche contribue elle aussi fortement à ébranler l'ordre de la raison en suggérant que la connaissance ou la représentation du réel peuvent passer par d'autres voies que la voie rationnelle. Le roman entre en crise et s'efface devant la poésie symboliste. On assiste à une montée de certaines valeurs naguère évincées par la pensée positive : irrationalisme, imagination, intuition, dérèglement des sens, mysticisme, tous ingrédients qui composent le « nouveau » roman, symboliste lui aussi. Le parcours de J. K. Huysmans, du roman naturaliste au roman symboliste (*À rebours,* 1884), est exemplaire de ce glissement idéologique et esthétique.

À l'aube du XXe siècle, le roman, délivré du carcan positiviste, cherche d'autres voies d'accès à la connaissance du réel et se met à réfléchir sur lui-même. Proust ouvre magistralement la voie avec sa *Recherche du temps perdu* ; Gide poursuit la tâche entreprise en construisant un roman spéculaire où l'écriture elle-même devient objet littéraire.

---

1. Il conviendrait bien entendu de nuancer une affirmation forcément réductrice, les applications de l'esthétique réaliste variant selon les écrivains et les périodes.

Issu de cette déroute de la raison, du choc de la première guerre et des recherches freudiennes sur l'inconscient, le surréalisme[2], dans sa volonté d'explorer une « surréalité » où cessent d'être contradictoires rêve et réalité, restitue à la déraison, à l'imagination et au désir une toute-puissance susceptible d'abolir les entraves morales, sociales et idéologiques qui frustrent l'être humain. Méfiants envers un genre – le roman – qui fait la part trop belle à tous les subterfuges de la raison, les surréalistes le pratiquent néanmoins, en le soumettant au principe de l'écriture automatique. André Breton écrit *Nadja*, le roman de l'amour fou, en 1928.

1.2 Résurgence d'un réalisme romanesque

Les années trente, marquées par l'instabilité gouvernementale et financière, les conflits sociaux, les scandales et les rivalités politiques et, un peu partout, la montée des nationalismes et la crainte qu'elle engendre, réintroduisent dans le roman des préoccupations d'ordre « réaliste » : Roger Martin du Gard publie sa grande fresque familiale, *Les Thibault*, commencée dans les années vingt. Tandis que Georges Duhamel écrit les dix volumes de *La Chronique des Pasquier*, Jules Romains, lui, se consacre aux vingt-sept tomes qui composeront *Les Hommes de bonne volonté* (1932-1947). Le climat politique et la radicalisation des partis invitent à la prise de position : le roman se politise, à droite (Drieu la Rochelle, Brasillach) comme à gauche. Aragon, engagé dans le parti communiste, glisse du surréalisme au « réalisme socialiste » avec un cycle romanesque au titre édifiant : *Le Monde réel*. Mais c'est Malraux qui apparaît comme la figure emblématique d'une esthétique romanesque mise au service d'une éthique révolutionnaire (*La Condition humaine*, 1933).

Hanté par le problème du Mal, qu'il situe tantôt à l'extérieur de l'homme (capitalisme, dictature, ordre bourgeois pour la pensée de gauche ; démocratie, vulgarité et ignorance des masses pour la pensée conservatrice), tantôt dans l'homme lui-même (Bernanos, Mauriac), le roman des années trente gagne peu à peu en pessimisme. Sensible avant tout à la souffrance de l'homme, à sa solitude et à son désarroi, il donne du monde une image de

---

2. Le *Manifeste du surréalisme*, d'André Breton, est de 1924.

plus en plus opaque, où la raison n'a plus sa place. L'univers de Céline (*Voyage au bout de la nuit*, 1932 ; *Mort à crédit*, 1936), ses constats amers et grinçants, ses révoltes, ses sarcasmes, son sens du grotesque et de la dérision, donne à la fois la mesure de son total pessimisme et de la confiance considérable qu'il fait à l'écriture.

La deuxième guerre mondiale suppose à la fois une surenchère et une innovation dans l'horreur (extermination pensée et systématisée, bombe atomique) qui marqueront profondément la production culturelle de l'époque. Pour beaucoup, un tel échec historique et politique signe définitivement la faillite de l'ordre de la raison. Dès lors, le sentiment de l'absurde existentiel déplace tout effort de rationalisation et s'impose comme une évidence pour toute une génération. Si, d'un côté, les valeurs surréalistes héritées de Breton et de ses compagnons continuent à nourrir un certain type de roman tourné vers la fantaisie, l'imaginaire, l'étrange, voire le fantastique (Boris Vian, Julien Gracq, Michel Leiris, Raymond Queneau), le courant existentialiste marque profondément la période de l'après-guerre. Dominé par la figure de Jean-Paul Sartre (*La Nausée*, 1938 ; *Les Chemins de la liberté*, 1945-1949 ; *Les Mains sales*, 1948), qui se fait le vulgarisateur et le diffuseur en France de la pensée du philosophe allemand Heidegger, le roman prend résolument la voie de l'engagement au service de l'homme et de la société, dans un nouvel alliage du travail littéraire et de la pensée. Le sentiment de l'absurde, dont le discours métaphysique rationaliste ne peut rendre compte, donne lieu à un nouvel humanisme moral : « Personne ne sait plus aujourd'hui si c'est l'essence qui précédait l'existence ou l'inverse, mais on n'oubliera pas de sitôt cette année 1945 où "l'existence" a fondu sur la France comme la célébrité sur Jean-Paul Sartre pour faire de lui beaucoup plus qu'un écrivain, une manière nouvelle d'être au monde. Comme si l'ensoi et le pour-soi entraient tout à coup dans les chaumières[3]. » Déjà en 1942 Albert Camus publiait *L'Étranger*, dans lequel toute une génération était appelée à se reconnaître.

---

3. Pierre Nora, *Le Débat*, n° 50, Gallimard, Paris, mai-août 1988, p. 171.

2. LES ARTS PLASTIQUES ET LA MUSIQUE

2.1 La peinture

De leur côté, les arts plastiques se libèrent de l'emprise des esthétiques réaliste et naturaliste qui dominent jusqu'en 1865. Les impressionnistes (Manet et Degas en tête) imposent une nouvelle perception du réel, notamment par l'étude privilégiée de la lumière, le divisionnisme de la touche et l'absence de contour. Au symbolisme littéraire fait écho le symbolisme pictural (1880-1900), qui introduit dans la peinture des sujets échappant volontiers au domaine de la raison (le rêve, la mort, la mythologie…) et dont la représentation renvoie à l'idée qu'elle exprime. L'expressionnisme (1900-1930), de facture très libre, apparaît comme un cri de désespoir et de révolte contre une société qui engendre le malheur, voire l'horreur (guerre de 1914). En témoignent les déformations dont il afflige obstinément les corps.

Dès 1910 apparaît la peinture abstraite, promue par les recherches personnelles de Kandinsky et facilitée par une distanciation de plus en plus grande par rapport à la réalité objective. De son côté, le cubisme (1907-1914) – auquel succéderont le dadaïsme (1916-1923), puis le surréalisme (1924-1936) – opère une remise en cause radicale des modes de représentation spatiale issus de la Renaissance : refus de la perspective traditionnelle, géométrisation des formes, bidimensionalité, fragmentation, collage…

La peinture, dégagée de la contrainte du réalisme représentatif et de l'illusion référentielle, érige comme seul principe de validité le regard que pose sur le monde un sujet particulier.

2.2 La musique

La musique du XXe siècle, qui s'inscrit volontairement dans l'histoire, s'insurge contre les règles traditionnelles et les idées d'harmonie et de beauté qui les sous-tendent. Toute la première moitié du siècle est une période d'innovation technique et esthétique. Les expériences se multiplient, de nouveaux phénomènes surgissent, qui tendent à effacer les distinctions catégorielles (orchestre/musique de chambre, musique instrumentale/musique vocale, musique profane/musique religieuse…). On abandonne les formes musicales classiques (sonate, fugue, rondo…). La relation qu'entretiennent la forme et le matériau tend à s'inverser, le matériau sécrétant désormais sa propre forme. On exploite de nouvelles sources sonores, on explore sans respect les possibilités des instruments traditionnels : en 1938, John Cage invente le « piano préparé » entre les cordes duquel il place des morceaux de diverses matières (bois, métal, papier…) qui en dénaturent le son. La musique s'ouvre au monde, non plus dans une perspective exotique, mais dans une volonté de compréhension et d'appropriation artistique. On intègre à la musique occidentale des instruments et des systèmes sonores étrangers, l'ethnomusicologie se développe.

La nouvelle esthétique musicale se libère bientôt de la tonalité (la période atonale de Schoenberg commence en 1908), promeut la dissonance et la liberté formelle, intègre au chant le langage parlé et le cri. La musique concrète (Pierre Schaeffer, Pierre Henry) utilise un matériau sonore concret – bruits, chants d'oiseaux, sons instrumentaux… – qu'elle enregistre sur bande magnétique pour élaborer des pièces musicales à partir de diverses opérations (sélection, collage, transformation). La citation et le collage permettent de juxtaposer au sein d'une même œuvre des temps et des espaces différents. Zimmermann s'illustrera par sa « technique de composition pluraliste » (1968).

La musique dodécaphonique, dont Schoenberg est considéré comme le fondateur, exploite systématiquement les douze sons en abolissant toute idée de hiérarchie. Dérivé du dodécaphonisme, la musique sérielle y introduit une notion d'ordre, susceptible de subir des variations diverses. Certains musiciens « post-sériels » – dont Michel Fano[4] – aménagent le concept en lui conférant davantage de souplesse.

Parallèlement aux concepts contraignants de dodécaphonisme et de sérialité, se développe un type de recherche fondée sur une combinatoire beaucoup plus libre. Pierre Boulez, avec sa *Troisième Sonate pour piano*, invente la musique semi-aléatoire : chaque page de la partition présente un certain nombre de « modules » musicaux dont l'interprète est libre de choisir l'ordre d'exécution. Liberté « surveillée » néanmoins, dans la mesure où le parcours

---

4. M. Fano collabore aux films d'A. Robbe-Grillet, qui lui-même, aussi bien dans ses romans que dans ses films, s'inspire volontiers de la structure sérielle.

doit se soumettre à un certain nombre d'obligations et d'interdits. Le modèle littéraire est donné par le « Livre » de Mallarmé, dont la structure par feuillets mobiles est conçue par le poète pour permettre à l'« opérateur » de construire son propre parcours en variant à volonté l'ordre des feuillets[5].

Xenakis, plus confiant dans le hasard, fait une musique aléatoire à partir de données programmées à l'intérieur desquelles il peut lui-même introduire des contraintes.

3. LE CINÉMA

Le cinéma, mode d'expression récent, a la spécificité d'être un « art industriel » : la formule oxymorique révèle assez le paradoxe. Son jeune âge et les contraintes de toute nature qui pèsent sur lui expliquent qu'il ait du mal à conquérir sa légitimité artistique.

3.1 Le cinéma des années vingt : un cinéma de recherche

Le cinéma des années vingt est encore muet. En France, à côté d'une production commerciale triomphante se développe un cinéma « d'art », marqué par une volonté de recherche esthétique et d'exploration technique. D'audience relativement confidentielle, il se réfugie dans les cinés-clubs et les salles spécialisées, qui réunissent un public « éclairé », essentiellement constitué d'intellectuels, d'écrivains et d'artistes.

Une première tendance, celle du cinéma « impressionniste », subit l'influence des arts plastiques, dont il partage certains codes (composition, cadrage, jeu des formes, jeux de lumière…). Louis Delluc devient le théoricien d'un mouvement regroupant Marcel L'Herbier, Abel Gance, Germaine Dulac, Jean Epstein.

---

5. Voir Jacques Schérer, *Le « Livre » de Mallarmé*, Gallimard, Paris, 1957. « Le nombre et la disposition de ces changements de place, que la partie des mathématiques appelée analyse combinatoire peut étudier et prévoir, apportent donc au Livre des possibilités de mouvement et d'ampleur, que la littérature ordinaire ne pouvait pas connaître » (p. 85).

Une deuxième tendance émerge vers le milieu de la décennie, qui se situe dans le sillage des mouvements d'avant-garde littéraires et picturaux. S'inspirant du dadaïsme, René Clair tourne *Entr'acte* en 1924, d'après un scénario de Francis Picabia. Man Ray, avec la collaboration scénaristique de Robert Desnos, réalise quant à lui des films marqués par l'art abstrait. Puis le cinéma, nourri des recherches récentes du cinéma soviétique, rencontre le surréalisme. Si *La Coquille et le Clergyman* (1926), réalisée par Germaine Dulac sur un scénario d'Antonin Artaud, est un premier fruit de cette rencontre, c'est *Un chien andalou* (1928), réalisé par Luis Buñuel à partir d'un scénario écrit en collaboration avec Salvador Dali, qui sera aussitôt reconnu comme le premier chef-d'œuvre du cinéma surréaliste, bientôt suivi de *L'Âge d'or* (1930).

L'année 1929 voit l'avènement du cinéma parlant. S'ensuit une vive polémique entre ses partisans qui y voient la possibilité d'un considérable supplément de réalisme, et ses détracteurs (Eisenstein, René Clair en France) pour qui le cinéma est d'abord un art du montage.

3.2 Le classicisme français (1930-1945)

Le parlant entraîne une inflation de la production cinématographique qui s'accompagne le plus souvent d'une dégradation de sa qualité. Le théâtre filmé envahit les écrans, multipliant les scénarios conventionnels servis par de brillants acteurs (Michel Simon, Louis Jouvet, Jules Berry…). Le cinéma français connaît une période de transition et de crise, accélérée par le départ de René Clair pour l'Angleterre et la mort prématurée de Jean Vigo, l'un des réalisateurs les plus prometteurs de sa génération, en 1934. De beaux films, cependant, jalonnent ces années, signés par Jean Grémillon, par Julien Duvivier ou par un Jean Renoir incompris jusqu'en 1937. À la même époque, la faillite des principales sociétés de production permet aux cinéastes et producteurs indépendants de développer un type de cinéma qui sera connu sous le terme de « réalisme poétique ». Il regroupe les grands noms du cinéma « classique » français : René Clair, Jean Vigo, Marcel Carné, Jean Renoir, Jacques Becker, Jacques Feyder, Julien Duvivier. Comme son nom l'indique, il s'agit d'une esthétique réaliste, héritée en partie du naturalisme littéraire (magistralement illustrée par Renoir) ou d'influence expressionniste, et tempérée par un certain idéalisme romantique ou populiste. Le couple le plus célèbre du réalisme poétique est formé par Marcel Carné et son scénariste Jacques Prévert, *Le jour se lève* (1939) demeurant un des chefs-d'œuvre du genre. Tournage en studio, décors conventionnels, répliques éblouissantes, mots d'auteur, numéros d'acteurs caractérisent aussi le plus souvent ce type de cinéma.

3.3 Le cinéma d'après-guerre (1945-1960)

Sous l'Occupation, les circonstances imposent aux films d'être tournés en studio. Après l'Occupation, les cinéastes français, contrairement à leurs homologues italiens, ne descendent pas dans la rue pour filmer. La veine purement réaliste, préservée par Grémillon ou Becker, s'étiole ; le cinéma français se confine dans les studios, confiant dans sa tradition de « qualité française ». La perfection technique remplace l'inventivité et la sensibilité ; les Français placent leurs espoirs dans la technicité d'un René Clément, menacé d'académisme, tout comme Claude Autant-Lara, autre gloire officielle du cinéma de l'époque. Dans le même temps, H. G. Clouzot, Jacques Tati, Jean Cocteau, Robert Bresson, dans des styles fort différents, font une œuvre personnelle et novatrice sans toutefois parvenir à vaincre la sclérose ambiante.

3.4 La Nouvelle Vague

« On ne l'a jamais assez dit : la nouvelle vague, ce n'est ni un mouvement ni une école, ni un groupe, c'est une quantité, c'est une appellation collective inventée par la presse pour grouper 50 nouveaux noms qui ont surgi en deux ans dans une profession où l'on n'acceptait guère que trois ou quatre noms nouveaux chaque année », déclarait François Truffaut en 1961[6]. La Nouvelle Vague naît donc de l'existence d'un groupe de *jeunes* cinéastes (Truffaut, Godard, Chabrol, Malle) revendiquant le droit d'accéder à une profession devenue la chasse gardée de gens oscillant entre les quarante et les quatre-vingts ans. Leur unité se constitue en somme autour d'un refus : celui d'un

---

6. Entretien avec L. Marcorelles, *France-Observateur*, 19 oct. 1961.

cinéma français qu'ils jugent englué dans un style académique et routinier, vieillot et boursouflé, irréaliste et insignifiant. En 1959, *Les Quatre Cents Coups*, de François Truffaut, représentent la France au Festival de Cannes. L'année suivante, *À bout de souffle*, de Jean-Luc Godard, marque une date tant par sa qualité que par son audace. *Les Cahiers du cinéma*, revue dirigée jusqu'en 1959 par André Bazin, l'un de ses fondateurs, puis par Éric Rohmer – Jacques Rivette prenant la relève en 1963 –, devient l'instrument de polémique et l'organe de diffusion des idées du mouvement et de la « politique des auteurs ». La « révolution » qu'ils opèrent se situe sur plusieurs plans, économique, esthétique et moral.

La Nouvelle Vague prétend ébranler le système de production dont le cinéma traditionnel, bastion de professionnels consacrés, dépend étroitement. Luttant contre la tyrannie des gros budgets, elle entend démontrer que le cinéma n'est pas affaire de moyens mais de créativité. Refusant la fascination de la technique, elle prône un cinéma à petits budgets dans lequel les idées, d'une part, la solidarité, de l'autre, se substituent à l'argent. C'est ainsi que *Paris nous appartient* est réalisé par Rivette avec une aide des *Cahiers* et la pellicule inutilisée des *Cousins*, de Chabrol. La prime à la qualité, introduite dans la loi de 1953, et le décret Malraux de 1959, permettant une aide sélective avant la distribution commerciale, apportent un soutien – quoique inégal – aux jeunes cinéastes.

Corrélative de la révolution économique qui lui sert de support, l'esthétique de la Nouvelle Vague est une esthétique du décor naturel, en accord avec une volonté de réalisme authentique qu'elle juge absent du cinéma « classique », comme en témoigne cette parodie que fait Georges Sadoul du « réalisme poétique » : « Le cinéma français a été pendant dix ans encombré par ces films où, dans un port noyé de brouillard, une fille aux grands yeux égarés et un sympathique criminel – malgré lui – trouvaient le grand amour, pour quelques trop courts instants, après lesquels le destin leur apportait la mort et la séparation, en les empêchant de passer les grilles et d'embarquer sur le beau navire des ailleurs[7]. » Retenant la leçon de certains de leurs aînés (Renoir, Vigo, Becker, Bresson) et celle du néoréalisme italien (Rosselini, De

---

7. *Chroniques du cinéma français, Écrits 1*, UGE, coll. « 10/18 », Paris, 1979.

Sica, Visconti) ou du cinéma-vérité (Jean Rouch), les jeunes réalisateurs tournent en extérieur, en lumière naturelle de préférence. L'improvisation est de rigueur ; l'intuition et la sensibilité l'emportent sur les règles normatives. On ose les raccords incorrects, on privilégie le plan-séquence, plus fidèle au réel, on porte la caméra à l'épaule, on aime les acteurs non professionnels, on refuse le « star-système ». Le rapport à la musique se transforme dans le sens d'un respect accru de l'apport musical comme élément de mise en scène. Les possibilités techniques de la bande magnétique, appliquée au cinéma au début des années soixante, favorise l'effort de la Nouvelle Vague en allégeant considérablement le matériel et en élargissant l'éventail des manipulations sonores.

Révolution morale enfin, dans la mesure où les jeunes cinéastes s'insurgent contre ce qu'ils nomment la tradition du mépris, visant par là les films qui, concentrant sur un personnage toute la vilenie du monde, en font le bouc émissaire d'une société qui se donne ainsi bonne conscience. La Nouvelle Vague refuse la simplification, les thèses et les doctrines, leur préférant la restitution de l'ambiguïté du monde.

© Nathan, *Nouveau Roman, nouveau cinéma*

NOUVEAU ROMAN / NOUVEAU CINÉMA : TENTATIVE DE DÉFINITION

1. LE NOUVEAU ROMAN

1.1 Une unité problématique

L'unité du Nouveau Roman est problématique pour plusieurs raisons. Tout d'abord parce que la disparité des écrivains concernés, tant au niveau de leur culture (Beckett est irlandais, Duras a des origines asiatiques, Sarraute est en partie russe, Pinget en partie suisse) qu'à celui de leurs centres d'intérêt, ou de leurs poétiques singulières (le lyrisme incantatoire de Marguerite Duras n'a guère à voir avec l'apparente froideur objective de Robbe-Grillet), rend délicate la perception des éléments qui pourraient les réunir. Ensuite, parce qu'eux-mêmes n'ont jamais revendiqué leur appartenance commune à un mouvement quelconque. Parce que, enfin, les supposés « nouveaux romanciers » n'ayant pas de « programme commun », le regroupement est dans un premier temps un fait de réception (presse, critique, lecteurs), la constitution du groupe étant dès lors sujette à hésitations et à fluctuations. Ajoutons que les contours du mouvement apparaissent d'autant plus flous que d'autres recherches se développent parallèlement au Nouveau Roman, dont certaines en semblent fort proches, telles que celles de Jean-Louis Baudry ou de Sollers, appartenant tous deux au groupe *Tel Quel*, de Maurice Blanchot ou de Louis-René des Forêts. En 1958, la revue *Esprit* avait constitué un premier groupe avec les noms de Beckett, Butor, Robbe-Grillet, Duras, Pinget, Simon, auxquels elle adjoignait ceux de Jean Lagrolet et de Kateb Yacine. Barthes, la même année, dans *Arguments*, nie toute filiation entre Butor et Robbe-Grillet, et l'existence de toute « école » par la même occasion : « Il paraît que Butor est le disciple de Robbe-Grillet, et qu'à eux deux, augmentés épisodiquement de quelques autres (Nathalie Sarraute, Marguerite Duras et Claude Simon ; mais pourquoi pas Cayrol, dont la technique romanesque est souvent très hardie ?), ils forment une nouvelle École du Roman. Et lorsqu'on a quelque peine – et pour cause – à préciser le lien doctrinal ou simplement empirique qui les unit, on les verse pêle-mêle dans *l'avant-garde*. Car on a besoin d'avant-garde : rien ne rassure plus qu'une révolte nommée[1]. » En 1971, Jean Ricardou s'interroge encore : « Le Nouveau Roman est-il donc un mythe, un label collé sur un groupe hétéroclite, diverses procédures formelles temporellement circonscrites[2] ? » Ce à quoi Robbe-Grillet répond : « Il faut bien voir que le Nouveau Roman a tout de même été d'abord un mythe. […] Un certain nombre de circonstances, dues en partie au hasard, ont réuni quelques écrivains et passé d'autres sous silence… Pourquoi, par exemple, ne parlons-nous jamais du *Chiendent* de Raymond Queneau, alors que ce texte est en un sens beaucoup plus moderne que *La Modification* de Butor ? Pourquoi ? Parce que lorsque nous parlons de Nouveau Roman, que nous organisons un colloque sur le Nouveau Roman, nous admettons nous-mêmes une liste officielle du Nouveau Roman donnée par quelques journalistes. Je le précise d'autant plus volontiers que justement *maintenant je crois que le Nouveau Roman existe…*[3] »

Origines plus ou moins mythiques, constitution aléatoire et fluctuante, ce qui semble clair néanmoins c'est que l'unité du Nouveau Roman se construit d'abord sur un même refus des conventions littéraires alors en vigueur, sur une même volonté d'exploration et d'innovation formelles, sur l'émergence d'un nouveau rapport au monde.

1.2 Héritage littéraire et environnement conceptuel

Tout mouvement culturel se construit sur les ruines d'un précédent, mais aucun ne naît *ex nihilo*. Les filiations ne sont pas toujours aisées à discerner, occultées le plus souvent par l'évidence de la rupture. Les recherches du Nouveau Roman s'inscrivent dans la lignée d'une littérature avant tout préoccupée de problèmes spécifiquement littéraires, littérature formaliste dont Flaubert (1821-1880) serait l'initiateur, qui rêvait d'un roman se soutenant par les

---

1. Repris dans *Essais critiques*, Seuil, Paris, 1964, p. 101.
2. *Nouveau Roman : hier, aujourd'hui. 1. Problèmes généraux*, UGE, coll. « 10/18 », Paris, 1972, p. 26.
3. *Ibid.*, p. 125.

seules vertus du style. Proust (1871-1922) et Céline (1894-1961), en France, Kafka (1883-1924), Joyce (1884-1941), Faulkner (1897-1962), hors de nos frontières, s'illustrent dans cette même quête d'une écriture renouvelée, traçant la voie aux explorations du Nouveau Roman. Les expériences surréalistes et ses jeux d'écriture, que développera l'Oulipo, en sapant de façon radicale les conformismes de tous genres, contribuent de leur côté à sortir le langage de son usage « domestique ». Raymond Roussel (*Impressions d'Afrique*, 1910 ; *Locus Solus*, 1914), reconnu comme un précurseur par les surréalistes, est célébré par certains Nouveaux Romanciers, dont Robbe-Grillet et Ricardou, pour ses inventions incongrues, ses calembours et ses associations verbales.

S'inscrivant dans une lignée formaliste envers laquelle il reconnaît ses dettes, le Nouveau Roman est par ailleurs aidé dans son entreprise par un environnement conceptuel appartenant à la même mouvance. La Nouvelle Critique se livre à une attaque en règles de la critique traditionnelle et tente d'appréhender l'objet littéraire à partir de ses caractéristiques formelles. Les *a priori* biographiques, historiques, psychologiques ou moraux sont rejetés au profit de l'examen minutieux de l'œuvre littéraire considérée comme un système clos et autosuffisant, intrinsèquement signifiant. Le discours métalittéraire s'émancipant des critères d'analyse extralittéraires, la critique devient « interne » au texte. Roland Barthes publie en 1963 son essai *Sur Racine*, qui entraîne une violente polémique et la condamnation de la Sorbonne. La revue *Tel Quel* est créée en 1960.

Cette Nouvelle Critique est elle-même induite par un système de pensée qui va dominer toutes les sciences humaines dans les années soixante : le structuralisme. Introduit par les travaux anthropologiques de Claude Lévi-Strauss (*Anthropologie structurale*, 1958 ; *La Pensée sauvage*, 1962), il s'étendra rapidement aux autres domaines de la pensée : notamment à la sociologie avec Michel Foucault (*Les Mots et les Choses*, 1966), à la psychanalyse avec Jacques Lacan, à la philosophie avec Jacques Derrida ou Althusser, à la linguistique avec Greimas (*Sémantique structurale*, 1966) et à la narratologie : *L'Analyse structurale du récit*, de Barthes, paraît aussi en 1966[4]. C'est le règne du discours, du texte en tant que système clos dont l'organisation en

---

4. Dans *Communications,* 8. Repris dans *Poétique du récit*, Seuil, coll. « Points », Paris, 1977.

oppositions et en analogies définit le sujet parlant de façon purement interne. Le sujet, en somme, disparaît, laissant place à un procès qui se déroule par la seule force de sa structure dynamique. La formule de Paul Ricœur, « un kantisme sans sujet transcendantal », fera fortune.

Même si « la fortune du structuralisme au cours des années soixante aura correspondu d'abord à un mirage d'unification des savoirs[5] » bientôt dissipé par le jeu de la spécificité des disciplines, il n'en reste pas moins que, produit de la sensibilité d'une époque, il suscite des spéculations dont les sciences humaines et la littérature sortent enrichies et renouvelées.

1.3 Naissance et cohésion du Nouveau Roman

Le Nouveau Roman est une réalité sociologique et culturelle géographiquement localisé (phénomène parisien) et historiquement circonscrit (années cinquante et soixante, essentiellement). En tant que groupe, il doit en partie son existence aux réactions violentes qu'il suscite dans la presse. De la même façon que le scandale d'*À bout de souffle*, en 1960, entraînera la cohésion d'une « nouvelle vague » encore dispersée et embryonnaire, la polémique qu'entraîne la publication du *Voyeur*, d'Alain Robbe-Grillet, en 1955, attire l'attention du monde littéraire sur un nouveau type de roman qui est loin de rallier tous les suffrages. Le roman se voit attribuer, à la grande indignation d'une partie du jury, le prix des Critiques, grâce aux voix de Georges Bataille, de Maurice Blanchot et de Jean Pauhan, auxquelles se joindra très vite le soutien de Barthes, d'André Breton et d'Albert Camus.

Au cours des années cinquante, les termes désignant les œuvres publiées par les futurs Nouveaux Romanciers fleurissent, allant de l'« anti-roman » (Sartre) ou de l'« allitérature » (Claude Mauriac), à l'« école du regard » (Barthes) et à la « littérature objectale », en passant par des dénominations péjoratives telles que « roman au ras du sol » ou « technique du cageot » (François Mauriac). C'est d'ailleurs l'étiquette méprisante d'Émile Henriot – « Nouveau Roman » – qui demeurera associée à l'entreprise, après encore maint tâtonnement et mainte invention plus ou moins heureuse. Robbe-Grillet

---

5. Marcel Gauchet, *Le Débat*, *op. cit.*, p. 178.

et son éditeur, Jérôme Lindon, s'emparent de l'appellation et lui confèrent cette fois un sens positif.

Propulsé au premier plan de la scène littéraire par la vive polémique du *Voyeur*, Robbe-Grillet se voit offrir la tribune de *L'Express* pour exprimer ses idées en matière de littérature. Les articles paraissent entre octobre 1955 et février 1956, avant d'être réunis dans l'ouvrage qui fera office de manifeste, *Pour un Nouveau Roman* (1963). Cette activité critique et théorique de Robbe-Grillet contribue largement à la formation et à la cohésion d'un groupe réticent, comme lui-même le rappelle : « Les créateurs ont toujours eu horreur des groupes. Vous savez que j'ai fait le Nouveau Roman presque contre les Nouveaux Romanciers. Ils l'ont tous accepté du bout des lèvres, avec réticence. Nathalie Sarraute disait avec humour : "C'est une association de malfaiteurs"[6]. » De fait, la parole infatigable et généreuse de Robbe-Grillet sur l'œuvre de ses « compagnons de route » – en particulier Robert Pinget et Claude Simon – fut décisive pour la connaissance et la reconnaissance du Nouveau Roman.

Le discours théoricien de Robbe-Grillet, servant de « ciment » à ce qui n'est à l'origine qu'une juxtaposition d'individualités travaillant dans le sens de la nouveauté, a un effet rétroactif. Sont ainsi annexées au mouvement les œuvres d'écrivains qui ont commencé de publier dans les années quarante, voire déjà dans les années trente, comme c'est le cas de Beckett dont le premier grand roman, *Murphy*, date de 1938, ou de Nathalie Sarraute qui publie *Tropismes* en 1939. Le texte de Marguerite Duras, *Les Impudents*, est sorti en 1943 ; *Le Tricheur*, de Claude Simon, en 1945 ; *Entre Fantoine et Agapa*, de Robert Pinget, en 1951.

De leur côté, les Éditions de Minuit jouent un rôle incontestable dans la cohésion du groupe. Jérôme Lindon, ayant racheté à Vercors la maison d'édition, fondée en 1942 pour résister à l'Occupation allemande, et se débattant dans d'énormes problèmes de gestion et de finances, se lance dans une entreprise audacieuse en faisant œuvre de découvreur. Encourageant de jeunes talents en marge de l'esthétique dominante, il construit son identité d'éditeur sur une authentique sensibilité à la modernité littéraire, et non sur

---

6. « Les étapes du Nouveau Roman, Alain Robbe-Grillet, entretien avec Jacques Bersani », *Le Débat, op. cit.*, p. 272.

les critères toujours séduisants du succès et du profit. Certes les Éditions de Minuit n'ont pas publié la totalité des œuvres des Nouveaux Romanciers. Certains d'entre eux confient leurs premiers livres à une autre maison d'édition (*Le Tricheur*, de Simon, paraît au Sagittaire ; *Entre Fantoine et Agapa*, de Pinget, à la Tour de Feu ; *Tropismes*, de Sarraute, chez Denoël ; Duras publie chez Plon, puis chez Gallimard ; Claude Mauriac chez Albin Michel). D'autres, qui publiaient chez Minuit, partent chez des éditeurs concurrents. C'est le cas de Duras qui, après un passage rue Bernard-Palissy, retourne chez Gallimard, qui édite en outre une grande partie de la production de Michel Butor. C'est également le cas de Claude Ollier et de Jean Ricardou qui ne publient aux Éditions de Minuit que deux ouvrages chacun. Nathalie Sarraute, quant à elle, n'a publié chez Lindon qu'un ouvrage – *Tropismes* –, racheté à Denoël.

De gauche à droite : Alain Robbe-Grillet, Claude Simon, Claude Mauriac, Jérôme Lindon, Robert Pinget, Samuel Beckett, Nathalie Sarrante et Claude Ollier.
Photographie de Mario Dondero – © Éditions de Minuit.

S'il semble donc abusif d'identifier le Nouveau Roman et les Éditions de Minuit, il est hors de doute que l'activité conquérante et intrépide de Jérôme Lindon, à laquelle s'ajoute dès 1955 la collaboration de Robbe-Grillet, qui devient lecteur aux Éditions, contribue largement à créer une sorte de famille littéraire, même si ses fondements sont en partie mythiques. La « photo de famille », désormais célèbre, réunit sur le même cliché, autour du directeur et devant la maison d'édition, Claude Mauriac (dont la présence est essentiellement due à son *Allitérature*), Nathalie Sarraute, Samuel Beckett, Robert Pinget, Claude Ollier, Claude Simon et Alain Robbe-Grillet. Duras en est absente (*Moderato cantabile* est de 1958), de même que Butor (arrivé en retard) et Ricardou (encore non productif).

Le colloque de Cerisy-la-Salle, organisé sur le Nouveau Roman du 20 au 30 juillet 1971, réunit à son tour Butor, Ollier, Pinget, Ricardou, Robbe-Grillet, Sarraute et Simon. Beckett et Duras, conviés, s'abstiennent[7]…

1.4 Polémique et théorisation

Les textes de référence

N'ayant jamais pris la forme d'une « école », à peine celle d'un mouvement, il semble logique que le Nouveau Roman ne soit soutenu par aucun ouvrage théorique servant de référence unique. Non seulement les textes de réflexion critique et théorique sont épars, émanant d'auteurs divers et apparaissant (de 1955 à 1975) au gré des recherches personnelles de chacun d'entre eux, mais aucun ne pourrait se vanter de se faire l'écho fidèle de tous les écrivains de la mouvance. La pluralité de points de vue sur certaines questions, les contradictions qu'elle entraîne parfois sont le reflet attendu de la diversité des personnalités qui composent le groupe et de l'évolution permanente d'une pensée dynamique qui ne conçoit la pratique littéraire que dans un continuel dépassement de ses propres acquis.

Les déclarations théoriques de Robbe-Grillet ont joué un rôle important non seulement dans la formation et la cohésion du groupe, mais aussi dans la réception d'une nouvelle esthétique déroutante pour les lecteurs. La volonté

---

7. J. Ricardou fait de cette « autodétermination » un critère d'implication et d'appartenance. Voir *Le Nouveau Roman*, Seuil, coll. « Écrivains de toujours », Paris, 1973.

explicative et les prises de position idéologiques permettaient d'éclairer certains aspects d'une pratique littéraire qui restait souvent énigmatique et opaque. Néanmoins, ce qui devint le « manifeste » du Nouveau Roman doit être accueilli avec précaution, son radicalisme étant lié à sa vocation militante, comme le rappelle Robbe-Grillet lui-même : « Mes déclarations théoriques ne constituent pas une théorie du roman, c'est-à-dire un système clos, ce sont seulement des aperçus théoriques sur le roman. Or il faut bien voir que ces déclarations théoriques sont simplificatrices par nature. [...] *Pour un Nouveau Roman* est composé d'articles de journaux, commandés au départ par *L'Express*. Ce sont des textes de combat, courts, conçus pour être simples et, à la limite, simplistes. Je m'en rendais parfaitement compte. Je m'y livrais par exemple, après d'autres, à une condamnation catégorique de la métaphore. Mais *La Jalousie*, que j'écrivais à la même époque, est en un sens un festival de métaphores ! Si le Nouveau Roman, cela dit, a connu cette fortune, c'est bien parce que nous avancions des idées simples[8]. »

Il n'en demeure pas moins que, malgré son caractère parfois outré et dogmatique, en dépit des contradictions – assumées – entre théorie et pratique littéraire qui invitent à voir dans le Nouveau Roman une recherche constante, l'ouvrage donne une idée claire des tendances esthétiques et idéologiques du mouvement.

Déjà, en 1956, dans un recueil d'essais publiés sous le titre éloquent de *L'Ère du soupçon*, Nathalie Sarraute constatait la fin de la relation de confiance entre écrivain et lecteur sur laquelle se fondait le roman traditionnel et attirait l'attention sur un certain nombre de caractéristiques du jeune roman, en rupture avec les conventions romanesques encore en vigueur, jetant la suspicion sur le vieux réalisme omniscient : « Aussi, quand l'auteur songe à raconter une histoire et qu'il se dit qu'il lui faudra, sous l'œil narquois du lecteur, se résoudre à écrire : "La marquise sortit à cinq heures", il hésite, le cœur lui manque, non, décidément, il ne peut pas[9]. » La formule – « l'ère du soupçon » – sera abondamment reprise et l'ouvrage apparaîtra après coup comme le texte fondateur de la nouvelle tendance.

L'œuvre critique et théorique de Michel Butor, volumineuse, consiste en

---

8. « Les étapes du Nouveau Roman, Alain Robbe-Grillet, entretien avec Jacques Bersani », *Le Débat, op. cit.*, p. 268.
9. Gallimard, coll. « Idées », Paris, p. 22.

une suite de réflexions sur le roman (*Essais sur le roman*, 1964), sur divers écrivains présentant un intérêt particulier pour le Nouveau Roman (Faulkner, Joyce, Proust, Roussel, Leiris...), et sur sa propre démarche créatrice (voir *Les Répertoires*). Quant à Jean Ricardou, le plus jeune du groupe (né en 1932), il s'intéresse d'abord aux romans de Robbe-Grillet auxquels il consacre une étude dès 1958. C'est le début d'une activité critique et théorique – probablement la plus dogmatique de toutes – qui débouchera sur la publication de *Problèmes du Nouveau Roman* (1967), puis de *Pour une théorie du Nouveau Roman*, en 1971. La même année, il organise à Cerisy-la-Salle un colloque destiné à rassembler tous les écrivains qui se définissent eux-mêmes comme Nouveaux Romanciers. On le sait, Beckett et Duras déclinent l'offre. Les écrivains présents, irrités par la volonté normative de Ricardou, ses affirmations péremptoires qui frisent le terrorisme, se rebellent contre une rigidité qu'ils jugent inacceptable. Ricardou persiste et signe, deux ans plus tard, dans un ouvrage intitulé *Le Nouveau Roman*. En 1978, *Nouveaux Problèmes du roman* consomme la rupture.

L'échec de l'initiative que prennent Jérôme Lindon et Alain Robbe-Grillet, en 1958, de demander aux Nouveaux Romanciers de travailler ensemble à un dictionnaire qui ferait état de la terminologie utilisée par la critique au pouvoir – en vue de dénoncer l'idéologie – est révélatrice des difficultés que rencontre toute volonté d'unification théorique du mouvement. Les membres du groupe, dont certains manquent d'enthousiasme ou d'assiduité, ne parviennent pas à se mettre d'accord sur la définition des notions fondamentales... En 1971, Robbe-Grillet constatait : « En somme, la seule existence réelle du Nouveau Roman a été ce dictionnaire, qui a été une des grandes entreprises des Éditions de Minuit, qui nous a occupés pendant des mois et a été un échec total...[10] »

Refus des mythes du passé et de l'engagement littéraire

Si la cohésion théorique du Nouveau Roman reste une affaire délicate à l'heure des définitions « positives », elle semble en revanche se constituer plus facilement dès qu'il s'agit de refus.

Rejetant le passéisme littéraire, le Nouveau Roman part en guerre contre toute forme de roman qui prendrait pour modèle les conventions roma-

---

10. *Nouveau Roman : hier, aujourd'hui, 1. Problèmes généraux, op. cit.*, p. 247.

nesques du XIXe siècle, milite pour un roman inventif, explorateur, résolument tourné vers l'avenir. Non que Stendhal ou Balzac, de leur temps, n'aient été de grands écrivains. Mais leur modernité ne peut être celle de l'homme de 1950. L'ère est révolue de l'écrivain-génie rédigeant son œuvre sous la dictée d'on ne sait quelle inspiration qui ne laisserait guère de place à une quelconque conscience critique. L'ère est également révolue des certitudes positivistes et des grands mythes qu'elles perpétuent. L'anthropocentrisme, vision rassurante qui garantit à l'homme la maîtrise du monde, est ainsi nié, de même que l'idée toute-puissante de nature, concept essentialiste qui garantit la pérennité réconfortante de l'être même du monde et de l'homme. Ainsi se dissipe le mirage d'une complicité entre le sujet et les choses qui l'entourent. Délié de toute connivence avec l'humanité qui le peuple, le monde abandonne son rôle de « dépositaire » des aspirations de l'homme, perd sa « profondeur » au profit d'une « planéité » purement extérieure. La réconciliation semble impossible. Le rapport tragique au monde, récupérant le malheur de l'homme à des fins de sublimation, est lui-même écarté : « Partout où il y a une distance, une séparation, un dédoublement, un clivage, il y a possibilité de les ressentir comme souffrance, puis d'élever cette souffrance à la hauteur d'une sublime nécessité. Chemin vers un au-delà métaphysique, cette pseudo-nécessité est en même temps la porte fermée à tout avenir réaliste. La tragédie, si elle nous console aujourd'hui, interdit toute conquête plus solide pour demain. Sous l'apparence d'un perpétuel mouvement, elle fige au contraire l'univers dans une malédiction ronronnante. Il n'est plus question de rechercher quelque remède à notre malheur, du moment qu'elle vise à nous le faire aimer[11]. » C'est somme toute l'idée d'humanisme transcendantal que rejettent les théoriciens du Nouveau Roman. Or, si le roman du XIXe est un roman humaniste, le **roman de l'absurde**, emblématisé par *L'Étranger*, de Camus, en est un autre, explique Robbe-Grillet. Le rapport d'étrangeté – le seul que Meursault parvienne à établir avec un monde dont le sépare un abîme infranchissable – naît au bout du compte d'une « querelle d'amour » entre l'homme et le monde « qui mène au crime passionnel », crime que perpètre le personnage

---

11. A. Robbe-Grillet, *Pour un Nouveau Roman*, Éd. de Minuit, Paris, 1963, p. 55.

avec la complicité de la nature (chaleur, soleil aveuglant...). « L'absurde est donc bien une forme d'humanisme tragique[12] », conclut le polémiste.

Même démonstration en ce qui concerne l'« univers entièrement tragifié » que constitue *La Nausée*, de Sartre : « fascination du dédoublement, solidarité avec les choses parce qu'elles portent en elles leur propre négation, rachat (ici : accession à la conscience) par l'impossibilité même de réaliser un véritable accord, c'est-à-dire récupération finale de toutes les distances, de tous les échecs, de toutes les solitudes, de toutes les contradictions[13] ».

Quant à la position du Nouveau Roman par rapport au roman engagé, elle est également de rejet, dans la mesure où il conçoit l'activité littéraire comme une activité « intransitive » (Roland Barthes), n'ayant aucun « message » à délivrer. Le roman, pour les Nouveaux Romanciers, ne peut devenir un instrument au service de quoi que ce soit, fût-ce de la cause révolutionnaire, sans se renier aussitôt en tant qu'œuvre littéraire. Son autonomie, garante de son statut, lui interdit de s'asservir. L'art, souverainement indépendant, est incompatible avec la « moindre directive extérieure ». De là les attaques virulentes dont le roman sartrien est victime de la part du Nouveau Roman qui voit en lui la manifestation d'une idéologie humaniste périmée. Tel est l'adjectif dépréciatif qu'utilise Robbe-Grillet en 1957 pour fustiger, entre autres, l'art engagé : « Sur quelques notions périmées » (repris dans *Pour un Nouveau Roman*). La **théorie du réalisme socialiste** présentée au congrès des Intellectuels par Jdanov en 1934, épaulée par le rôle accru de l'Union soviétique pendant la deuxième guerre mondiale, marque de son empreinte la conscience intellectuelle française de l'époque. Aragon y souscrit, puis Sartre – à sa façon –, même si le parti communiste français le condamne pour son pessimisme pernicieux.

Robbe-Grillet, dans sa fougue militante volontiers dogmatique, ne fait pas la différence et enveloppe réalisme-socialiste et roman existentialiste d'un même mépris. Sartre (envers qui, plus tard, Robbe-Grillet reconnaîtra sa dette) répond à ces attaques avec violence, épargnant le seul Butor à cause des relations que son œuvre parvient à construire entre l'individu et son milieu socioculturel. En 1964 Sartre va plus loin encore dans la (mauvaise)

---

12. *Ibid.*, p. 58.
13. *Ibid.*, p. 60.

conscience du malheur du monde, puisqu'il déclare l'inefficacité de toute littérature, fût-elle engagée : « En face d'un enfant qui meurt, *La Nausée* ne fait pas le poids », dit-il à Jacqueline Piatier dans un entretien pour *Le Monde*. La réponse du Nouveau Roman à une telle posture est sans ambiguïté : chaque individu doit lutter et faire la révolution avec les outils qui lui sont propres. Le citoyen s'inscrit dans un parti politique et fait la révolution sociale. Le romancier, s'il lui est loisible, en tant que citoyen, d'adhérer à un parti, ne peut, comme romancier, que tenter une révolution littéraire. C'est ce que le monde peut attendre de lui en tant qu'artiste.

La signature de Robbe-Grillet et de la plupart de ses compagnons du « Manifeste des 121 », en septembre 1960, sur le « droit à l'insoumission dans la guerre d'Algérie » – texte qu'aucun grand journal ne se risquera à publier – prouve assez que les Nouveaux Romanciers ne vivent pas à côté du monde et qu'ils savent, le cas échéant, s'engager comme **citoyens**. D'ailleurs, ils ne sont pas épargnés par les aléas de l'histoire à laquelle ils participent parfois dangereusement. Claude Simon, fils d'un officier tué lors de la première guerre, s'engage en 1936 dans la guerre d'Espagne aux côtés des républicains, avant d'être enrôlé dans la seconde guerre mondiale à laquelle il survit par miracle, après l'épisode, mainte fois réécrit, du 17 mai 1940 où il suit « ce colonel, vraisemblablement devenu fou [...] avec la certitude d'être tué dans la seconde qui allait suivre[14] ». Marguerite Duras s'engage dans les réseaux de résistance aux côtés des communistes. Beckett, vivant à Paris au début de la guerre, rejoint lui aussi le camp des résistants et échappe de justesse à la Gestapo. Claude Mauriac, partisan de la France libre, deviendra en 1944 le secrétaire particulier du général de Gaulle. Robbe-Grillet lui-même, qui procède d'une famille maurassienne et en adopte dans un premier temps les partis pris idéologiques, rompt avec ceux-ci lorsqu'il découvre « l'impensable horreur » que révèle la face cachée du national-socialisme[15].

Néanmoins, les Nouveaux Romanciers ne confondent jamais leur rôle de citoyen et leur fonction d'artiste : « Redonnons donc à la notion d'engagement le seul sens qu'elle peut avoir pour nous. Au lieu d'être de nature poli-

---

14. *Le Jardin des Plantes*, Éd. de Minuit, Paris, 1997, p. 223.
15. *Le Miroir qui revient*, Éd. de Minuit, Paris, 1984, p. 46.

tique, l'engagement, c'est, pour l'écrivain, la pleine conscience des problèmes actuels de son propre langage, la conviction de leur extrême importance, la volonté de les résoudre de l'intérieur. C'est là, pour lui, la seule chance de demeurer un artiste et, sans doute aussi, par voie de conséquence obscure et lointaine, de servir un jour peut-être à quelque chose – peut-être même à la révolution[16]. »

Pour un nouveau réalisme

Résolument moderne, le Nouveau Roman reflète l'émergence d'un nouveau rapport au monde : « Il n'y a là qu'une appellation commode englobant tous ceux qui cherchent de nouvelles formes romanesques, capables d'exprimer (ou de créer) de nouvelles relations entre l'homme et le monde, tous ceux qui sont décidés à inventer le roman, c'est-à-dire à inventer l'homme[17]. » Refusant désormais de s'asservir à des fins morales ou idéologiques, le roman ne prétend plus, non plus, éveiller la conscience du lecteur sur les leurres de la civilisation ou l'absurdité de la condition humaine. Il cesse de s'intéresser aux **vérités** – auxquelles il ne croit plus – pour s'intéresser aux **questions**. Robbe-Grillet – scientifique de formation – rappelle opportunément que les scientifiques modernes ne croient plus à la vérité de la science, et fait au contraire de sa réfutabilité le principe même de sa pertinence[18].

En redéfinissant son espace comme exclusivement littéraire, le Nouveau Roman l'isole de tous les conditionnements externes qui tendent à faire oublier la nature verbale de toute création littéraire, devenue l'objet privilégié de son questionnement. Dans les années cinquante, la pensée phénoménologique de Husserl – dont le Nouveau Roman se fait l'écho – a détrôné le discours totalisateur de l'épistémologie bourgeoise fondée sur le positivisme et la notion de nature. Elle proclame la souveraineté absolue de la conscience au contact de la réalité et propose un mode d'appréhension du monde extérieur qui prenne en compte sa seule présence obstinée, l'« être-là » des choses, au-delà de toute signification. C'est bien le programme que se propose Robbe-Grillet, lorsqu'il écrit : « À la place de cet univers des "signi-

---

16. A. Robbe-Grillet, *Pour un Nouveau Roman*, *op. cit.*, p. 39.
17. *Ibid.*, p. 9.
18. Voir « Les étapes du Nouveau Roman », *Le Débat*, *op. cit.*, p. 272.

fications" (psychologiques, sociales, fonctionnelles), il faudrait donc essayer de construire un monde plus solide, plus immédiat. Que ce soit d'abord par leur *présence* que les objets et les gestes s'imposent, et que cette présence continue ensuite à dominer, par-dessus toute théorie explicative qui tenterait de les enfermer dans un quelconque système de référence, sentimental, sociologique, freudien, métaphysique, ou autre[19]. »

Le Nouveau Roman, entreprise de recherche incessante et de perpétuelle remise en cause, ne se définit pas par une identité immuable mais par un processus dynamique, évolutif, marqué plus ou moins nettement par des « étapes » qui jalonnent une réflexion ne se justifiant que dans le dépassement constant de ses résultats. Sans entrer dans le détail d'une évolution dont la complexité s'accroît de la spécificité des différentes pratiques textuelles, on peut globalement distinguer deux grandes périodes du Nouveau Roman. Pendant la première, correspondant *grosso modo* aux années cinquante, le Nouveau Roman, préoccupé par le combat qu'il livre avec l'ancienne épistémologie, tente de rompre avec les structures narratives traditionnelles et étend sa recherche à d'autres champs d'expérimentation formelle. La seconde période, qui s'ébauche dans les années soixante, est dominée par la radicalisation de la rupture et la construction d'un nouveau rapport de l'homme au monde. On passerait ainsi, selon les termes de Jean Ricardou, des « textes de l'unité agressée » aux « textes de l'unité impossible », fondés sur l'éclatement et la fragmentation du sujet.

S'il est vrai que le Nouveau Roman connaît son âge d'or au cours des années cinquante et soixante, il ne cesse pas pour autant de produire des œuvres importantes même après sa période d'hégémonie littéraire. Robbe-Grillet distingue une troisième période qui commence à la fin des années soixante-dix et où « tous ces écrivains du Nouveau Roman, sans se donner le mot, vont compliquer encore la donne, en réintroduisant dans cet univers éclaté un personnage qui va porter leur propre nom[20] ». Jean Ricardou, quant à lui, définit le « Nouveau Nouveau Roman » des années soixante-dix par ses « structures génératrices ».

---

19. *Pour un Nouveau Roman*, op. cit., p. 20.
20. « Les étapes du Nouveau Roman », *Le Débat, op. cit.*, p. 271.

Qu'on y voie le passage d'une apparente objectivité à une subjectivité éclatée, ou l'affermissement progressif d'une structure de production, le parcours du Nouveau Roman est celui d'une radicalisation idéologique et esthétique, d'une exploration toujours plus authentique au cœur du réel.

2. LE NOUVEAU CINÉMA

2.1 Absence de mouvement.
Un cinéma d'exploration

Si l'existence, la constitution et l'unité du Nouveau Roman en tant que mouvement sont problématiques, celles du nouveau cinéma le sont bien davantage, dans la mesure où un tel mouvement n'a jamais existé. Aucun manifeste, aucune déclaration théorique, aucune revendication d'appartenance. Pourquoi alors une telle étiquette ? Quelle est son origine ? Il semble que l'appellation remonte aux années soixante. Bernard Pingaud l'utilise dans un texte – remaniement d'une conférence de 1963 – publié en 1966 par *Les Cahiers du cinéma* sous le titre « Nouveau roman et nouveau cinéma[21] », et dans lequel il s'appuie essentiellement sur *L'Année dernière à Marienbad* (Resnais/Robbe-Grillet) et *L'Immortelle* (Robbe-Grillet). L'absence de majuscules indique néanmoins le vague de la notion. On retrouve l'expression lors du colloque de Cerisy de 1971 sur le Nouveau Roman, à l'occasion de l'intervention d'André Gardies « Nouveau Roman et cinéma » au cours de laquelle il utilise « nouveau cinéma » pour désigner un type d'écriture cinématographique comparable à l'écriture des Nouveaux Romanciers, son étude privilégiant les films de Robbe-Grillet. Dominique Chateau et François Jost reprennent le concept dans leur ouvrage commun *Nouveau Cinéma, nouvelle sémiologie[22]*. Aucune définition du nouveau cinéma n'est d'ailleurs donnée et le corpus étudié est exclusivement constitué par les films d'Alain Robbe-Grillet. De là à penser que ceux-ci sont coextensifs à celui-là, il n'y a qu'un pas. Le nouveau concept, établissant explicitement un lien d'analogie avec le

---

21. *Les Cahiers du cinéma*, n° 185, spécial Noël 1966, pp. 27-40.
22. Éd. de Minuit, Paris, 1979.

Nouveau Roman, invite à voir dans le premier la transposition de l'esthétique novatrice du second. Et Robbe-Grillet s'étant particulièrement illustré dans la pratique cinématographique avec une dizaine de longs métrages, on comprend dès lors la tentation d'identifier nouveau cinéma et cinéma de Robbe-Grillet. L'étiquette, à valeur essentiellement stratégique, n'a en fait pas réellement « pris ». Jamais le concept n'a été précisément défini ni son champ d'application précisément délimité. Forgé non plus par la critique et la presse mais par la pensée universitaire, il est demeuré confidentiel, méconnu du grand public, flou pour la plupart des cinéphiles. Son maigre succès public et son peu de résonance dans les médias ont favorisé son confinement dans les sphères intellectuelles, l'éloignant de la reconnaissance et de la légitimation auxquelles le Nouveau Roman, en revanche, a accédé.

En outre, l'émergence de la Nouvelle Vague en plein essor du Nouveau Roman (années soixante), la coïncidence du concept de nouveauté pour désigner deux esthétiques – cinématographique et romanesque – qui en effet étaient nouvelles, chacune à leur manière ; le succès, tout d'abord de scandale, puis d'estime, puis très vite commercial, de leurs productions ; la médiatisation des polémiques qu'elles entraînent sont autant d'éléments qui ont engendré la confusion dans les esprits et ont incité à établir une fausse parenté entre Nouvelle Vague et Nouveau Roman, contribuant ainsi à occulter la parenté réelle qui le lie à une autre forme de cinéma. Robbe-Grillet, en 1971, exprime d'ailleurs clairement la distance qu'il ressent entre sa propre entreprise et celle de la Nouvelle Vague : « Il semble que l'idéal traditionnel, à la fois de l'Ancienne Vague et de la Nouvelle Vague, c'est de reproduire le roman balzacien : hors de cela, il n'y a rien, il n'y a pas d'expérience cinématographique. Il y a seulement quelques isolés de "génie" comme Godard qui a opéré d'un coup un apport massif. » Et d'ajouter un peu plus tard : « Un cinéma est en train de se faire, radicalement opposé à celui que l'on a appelé la Nouvelle Vague : Truffaut, Chabrol, etc., célèbres cinéastes du XIXe siècle[23]. »

Un nouveau cinéma se développe donc parallèlement à la Nouvelle Vague, dans son ombre, et dans un sens fort différent. Travaillant à contre-courant du cinéma dominant, il tente de s'évader de la représentation mimétique, élabo-

---

23. *Nouveau Roman : hier, aujourd'hui, 1.*, op. cit., pp. 208 et 211.

rant de nouvelles images mentales, temporelles, sonores. Seul, au sein de la Nouvelle Vague, le travail d'expérimentation inlassable de Godard offre des points communs avec les préoccupations des nouveaux cinéastes. Et si la production filmique de Robbe-Grillet, parce qu'elle est abondante et cohérente, parce qu'elle est soutenue à la fois par son œuvre romanesque et sa pensée théorique, apparaît légitimement comme le pilier central de l'édifice, d'autres cinéastes le précèdent et l'accompagnent dans sa démarche novatrice. En dehors même du nouveau cinéma et de la Nouvelle Vague, les années cinquante et soixante voient, en matière de cinéma international, une explosion de talents et d'expériences aussi riches que variés (Fellini, Visconti, Mizoguchi, Bergman, Wajda, Kurosawa ; le Free Cinema anglais...) qui stimule largement la création.

2.2 Le cinéma Rive gauche

À la fin des années cinquante, le monde du jeune cinéma se divise volontiers en deux groupes, situés géographiquement de part et d'autre de la Seine. La Nouvelle Vague appartient à la rive droite, tandis que la rive gauche est représentée par des cinéastes comme Chris Marker, Agnès Varda, Georges Franju, Jean Rouch, ou Jacques Demy, qui se sont d'abord illustrés dans le court métrage. Robert Benayoun décrit la « cohésion » du groupe Rive gauche, qui se construit autour des bureaux de l'association Travail et Culture : « Tous ces jeunes gens qui gravitaient autour du TNP (dont Varda était le photographe) formaient, moins qu'une famille, une espèce de club sélectif qui dans l'euphorie de la Libération découvrait pêle-mêle le jazz, les films américains, la science-fiction ou le surréalisme retour d'exil et que réunissaient des goûts communs : les chats, le thé de chez Smith and Sons, la bande dessinée et le vélo. Ils se retrouvaient au Flore ou au ciné-club de la maison de la Chimie, tournaient des films publicitaires, découvraient Bertolt Brecht qui venait d'être traduit à L'Arche, et admiraient le Berliner Ensemble[24]. »

François Truffaut apportera une nuance dans la classification en décelant au cœur du cinéma Rive gauche une « tendance Éditions de Minuit », consti-

---

24. *Alain Resnais arpenteur de l'imaginaire*, Ramsay, coll. « Poche cinéma », Paris, 1985, p. 48.

tuée de films proches de l'esthétique du Nouveau Roman (Varda, Rouch, Colpi, Marker, Rossif, Morin).

2.3 Alain Resnais, figure clé du nouveau cinéma

C'est ce groupe Rive gauche que côtoie, dès le début de sa carrière, Alain Resnais (né en 1922), groupe dont il est très proche, tant par la nature de ses recherches que par le choix de ses collaborateurs : Agnès Varda lui demande de monter son premier long métrage, *La Pointe courte*, en 1954 ; par ailleurs, il collabore à plusieurs reprises avec Chris Marker (*Les statues meurent aussi*, 1950-1953 ; *Nuit et brouillard*, 1955 ; *Le Mystère de l'atelier quinze*, 1957) ; Henri Colpi participera au montage de ses deux premiers longs métrages.

Intéressé tout jeune par le théâtre, Resnais s'était tourné vers le cinéma après une expérience peu fructueuse d'acteur, pensant trouver là une occasion de rester en contact avec le monde du spectacle. Il entre donc à l'IDHEC, où il apprend le montage. Contrairement aux Nouveaux Romanciers qui deviendront cinéastes, Alain Resnais est donc avant tout un homme de cinéma. Mais, attiré très tôt par l'aventure et le merveilleux, il découvre avec ravissement la littérature surréaliste qui laissera en lui une empreinte tenace : « J'espère toujours demeurer fidèle à André Breton qui se refusait à considérer que la vie imaginaire ne fait pas partie de la vie réelle[25]. » Son goût pour la littérature – Breton, mais aussi E. A. Poe, Jules Verne, Julien Gracq – et pour la belle langue le conduit très vite à travailler avec des écrivains pour l'écriture des scénarios et des dialogues de ses films. Déjà l'avait séduit la collaboration entre Bresson et Giraudoux dans *Les Anges du péché* (1943). C'est ainsi que la plupart de ses courts métrages sont réalisés à partir de scénarios d'écrivains : le scénario de *L'alcool tue* (1947) est de Rémo Forlani et de Roland Dubillard, tous deux du groupe Rive gauche ; le texte de *Guernica* (1950) est de Paul Eluard ; celui de *Nuit et Brouillard* (1955), de Jean Cayrol ; Rémo Forlani écrit le scénario de *Toute la mémoire du monde* (1956) et c'est Raymond Queneau qui compose le texte dit par Pierre Dux dans *Le Chant du Styrène* (1958).

---

25. Entretien avec Jacques Belmans, dans « Alain Resnais », *Études cinématographiques*, nos 64-68, 1968, cité par R. Benayoun dans *Alain Resnais arpenteur de l'imaginaire*, *op. cit.*, p. 34.

Alain Resnais, *Hiroshima, mon amour*. Photographie coll. *Les Cahiers du cinéma*.

Enrichi d'une expérience répétée de collaboration avec des écrivains, Resnais demande à Marguerite Duras d'écrire le scénario et les dialogues de son premier long métrage, *Hiroshima, mon amour* (1959). Le film, par sa nouveauté et son audace – il met sur le même plan un amour de rencontre et la destruction d'Hiroshima par la bombe atomique –, produit un choc considérable. Toute une génération s'y reconnaît et en fera un film fétiche. La Nouvelle Vague dit son admiration sans pour autant avouer de connivence intellectuelle ou morale. Godard lance à propos du film sa fameuse formule : « Le travelling est affaire de morale. » Quant à Resnais, il exprimera sa gratitude : « Comme Astruc, Malle et Franju, je me situe entre deux générations de cinéastes, entre celle des metteurs en scène traditionnels (Clouzot, Carné, Renoir) et la Nouvelle Vague. Je me sens néanmoins une dette envers cette dernière, car elle a créé les conditions de production, financières surtout, où il était possible de tourner un film comme *Hiroshima, mon amour*[26]. »

C'est Alain Robbe-Grillet qui écrit le scénario, le découpage technique et les dialogues de *L'Année dernière à Marienbad* (1961). Si *Hiroshima* a paru audacieux, *Marienbad* déroute, fascine, intrigue, stupéfie, suscite l'enthousiasme passionné mais aussi l'exaspération, le mépris, le sarcasme, le scandale. Jamais l'insolite et l'étrange *irréductibles* n'avaient à ce point envahi les écrans. Œuvre inouïe, dont les années et les exégèses n'ont pu venir à bout, qui conserve son opacité et sa magie, elle semble échapper même à ses auteurs. R. Benayoun la définit ainsi : « Cette œuvre désœuvrée, à la fois construite et déconstruite, où tout fut méticuleusement prémédité sauf l'essentiel, c'est-à-dire le souffle qui l'emporte, la grâce qui l'anime, le charme inappréciable qu'elle dispense au-delà du temps, cette œuvre dont on retient surtout le cadre, quoi qu'on y fasse, l'un des hauts lieux de l'imaginaire contemporain, vit surtout par la présence des êtres qui l'habitent : ils projettent une ombre là où les lieux littéralement (ces fameux ifs taillés en pyramides) n'en projettent aucune[27]. » Resnais et Robbe-Grillet s'étaient entendus sur le projet d'une forme cinématographique non narrative et volontiers énigmatique. Le scénario, très « écrit », très littéraire, contredisant toute intention réaliste, porte pourtant déjà la marque du futur cinéaste dans les indications de mouvements d'appareil, de durée de plan, de raccords ou de cadrages. Le film est un magnifique exemple de collaboration féconde entre deux créateurs dont aucun n'a sacrifié à l'autre.

Deux ans plus tard, Resnais s'associe avec Jean Cayrol pour réaliser son troisième long métrage, *Muriel ou le temps d'un retour*. Après le défi au principe de réalité que constituait *Marienbad*, *Muriel* apparaît presque comme une narration traditionnelle : inscription dans un lieu concret et identifiable, apparente chronologie, présence d'une intrigue, personnages pourvus d'une histoire et d'une psychologie... Pourtant, ces personnages que Cayrol définit comme « des êtres de passage, des sortes de squatters du sentiment ou de la rêverie, des témoins introuvables, des errants sans le

---

26. A. Adrian Maben, *Films and Filming*, oct. 1966 ; cité par R. Benayoun, *Alain Resnais arpenteur de l'imaginaire*, *op. cit.*, pp. 74-75.
27. *Alain Resnais arpenteur de l'imaginaire*, *op. cit.*, p. 82.

savoir[28] », agissent bien peu sur le réel. La narration elle-même, prise dans les méandres des récits seconds et des souvenirs, se disperse et se morcelle, engendrant une vision du monde vacillante, éclatée et multiple.

Hiroshima, mon amour et *L'Année dernière à Marienbad* – dans une moindre mesure *Muriel* – font d'Alain Resnais la figure charnière entre le Nouveau Roman et le monde du cinéma. Non seulement ces deux films précèdent l'œuvre cinématographique de Robbe-Grillet et de Duras, portant en eux tout le mérite de la nouveauté, mais leur impact et leur retentissement en font des œuvres essentielles dans l'histoire du cinéma. Et si c'est en partie aux deux Nouveaux Romanciers que les films sont redevables de leur nouveauté, cette première expérience scénaristique, leur servant de *passage* vers la réalisation, joue pour eux un rôle d'initiation à un autre mode d'écriture. Le rôle de Resnais est donc fondamental, même si son œuvre n'est étayée par aucun manifeste ou écrit théorique.

2.4 Les francs-tireurs

À côté des groupes plus ou moins définis (Nouvelle Vague, cinéma Rive gauche), un travail s'accomplit, plus solitaire, mais dont les fruits contribuent à nourrir le terreau du cinéma d'exploration. Jean Cayrol, à son retour de déportation, avait promu une littérature « lazaréenne », attachée à explorer les survivances d'un passé concentrationnaire dans le présent d'une conscience. L'intérêt qu'il partage avec Resnais pour les secrets de la mémoire aboutit à une collaboration féconde : *Nuit et Brouillard* (1955) et *Muriel* (1963). Séduit par cette expérience, Cayrol réalise lui-même quatre courts métrages, dont *Madame se meurt* (1961), qui connut un vif succès critique, et qui transpose grâce au jeu du montage ses principes littéraires.

Dans le cinéma français, les recherches d'un Philippe Garrel ou d'un Marcel Hanoun retiennent volontiers l'attention de Robbe-Grillet. L'œuvre marginale de Garrel (*Anémone*, 1966 ; *Marie pour mémoire*, 1967 ; *La Cicatrice intérieure*, 1971) surprend tant par son indifférence à la causalité et aux principes rationnels attendus que par la qualité de ses silences et des sensa-

---

28. « Une histoire qui court les rues », *France-Observateur*, 10 oct. 1963, cité par R. Benayoun, *Alain Resnais arpenteur de l'imaginaire*, *op. cit.*, p. 113.

tions qu'il parvient à restituer. Quant à Marcel Hanoun, qui « filme dans les interstices des vastes espaces marchands[29] », sa conception du cinéma s'apparente à celle du nouveau cinéma : « Opposer le seul réel de l'image à la soi-disant image du réel, privilégier la vérité de l'image à l'image de la vérité[30]. »

Enfin, le cinéma de l'Italien Michelangelo Antonioni offre un univers et un mode d'écriture nouveaux, tout à fait en marge de la production nationale dominante, et qui rejoint par certains aspects les préoccupations d'un Resnais. Ses premiers longs métrages datent des années cinquante, mais c'est *L'Avventura* (1960) qui, par le succès qu'il rencontre, confirme le talent original du cinéaste, caractérisé essentiellement par la richesse introspective et la liberté narrative. Carmelo Bene (né en 1937), comédien, metteur en scène, essayiste, romancier et cinéaste, s'il ne connaît pas le succès de son aîné comme réalisateur, fait une œuvre étonnamment subversive, où se mêlent jeux verbaux, humour noir, délire sonore, gags burlesques, débauche de fantasmes et d'images baroques, décors luxurieux, détournement des conventions… Gilles Deleuze s'y intéresse vivement, Robbe-Grillet également, car l'intérêt simultané qu'il porte à la littérature et au cinéma le rapproche des préoccupations de son confrère italien, qui adapte à l'écran ses propres romans ou pièces de théâtre (*Notre-Dame des Turcs*, 1968 ; *Don Giovanni*, 1970…).

2.5 Les Nouveaux Romanciers et les autres genres

Une des caractéristiques des Nouveaux Romanciers est d'avoir brouillé ou assoupli les frontières génériques, tant par une pratique d'écriture, que le concept de roman ne suffit pas toujours à cerner précisément, que par un intérêt souvent productif pour d'autres modes d'expression.

Le Nouveau Roman étant guidé à la fois par un souci de constante recherche et par une volonté de sape du roman traditionnel, il semble en effet logique qu'il se trouve à l'étroit dans la notion même de genre romanesque. Butor s'en éloigne dès 1960 ; Pinget, quant à lui, se montre très tôt réticent à désigner ce qu'il écrit par le terme de « roman » ; dès le début des années

---

29. *L'Insoutenable Regard de la caméra, Écrits 1*, EC éditions, Paris, 1995, p. 26.
30. *Ibid.*, p. 46.

soixante-dix, il alterne les « romans » (*Cette voix, L'Apocryphe*) avec les « récits » (*Fable, Monsieur Songe*) et les « carnets » (*Le Harnais, Charrue, Du nerf, Théo*). Duras opte également pour l'alternance entre « roman » et « récit » jusqu'en 1967, puis abandonne toute nomenclature. Tous, par ailleurs, ont recours, à un moment ou à un autre, à des modes d'écriture non romanesques qui, parfois, contaminent leurs romans. Beckett et Butor s'essayent à la poésie ; la pratique de la prise de notes et du journal intime rendent certains ouvrages de Pinget difficiles à classer (de là le terme de « carnets »). Beaucoup composent des nouvelles, ou des textes brefs : Beckett (*More Pricks than Kicks*, 1934 ; *Nouvelles et textes pour rien*, 1955) ; Pinget, dont la première publication, *Entre Fantoine et Agapa* (1951) est constituée d'une série de textes très brefs ; Robbe-Grillet (*Instantanés*, 1962), Ricardou (*Révolutions minuscules*, 1971 ; *La Cathédrale de Sens*, 1990).

Leur quête perpétuelle de formes nouvelles conduit certains Nouveaux Romanciers à s'intéresser au théâtre. On sait que la production théâtrale domine largement l'œuvre de Beckett ; dès 1952 (année de *En attendant Godot*), alors que ses grands romans ont été publiés (*Murphy, Molloy, Malone meurt*), il se consacre essentiellement à la scène, c'est le théâtre qui lui donne sa réputation internationale. Pinget, fervent admirateur de Beckett, traduit, en collaboration avec l'auteur, *All that Fall* sous le titre de *Tous ceux qui tombent* (1957), et écrit lui-même une bonne dizaine de pièces dont *Architruc* (1961), *L'Hypothèse* (1961), *Autour de Mortin* (1965) ou *Nuit* (1973). Marguerite Duras, elle aussi, écrit pour le théâtre, dès 1965 (*Les Eaux et Forêts, Le Square, La Musica*) ; en 1968 paraît *L'Amante anglaise* et un second volume de théâtre chez Gallimard ; en 1977, *L'Eden cinéma*. Un troisième volume, constitué d'adaptations d'Henry James et d'August Strindberg, sort en 1984. Marguerite Duras affectionne particulièrement les variations génériques. C'est ainsi que *L'Amante anglaise* apparaît successivement sous forme de récit et sous forme de texte théâtral ; *Agatha* est un roman, puis un film. *Détruire, dit-elle, Le Camion, Le Navire Night* sont des textes et aussi des films. *Abahn, Sabana, David* est transposé à l'écran sous le titre *Jaune le soleil*. *India Song* est publié avec le sous-titre « texte-théâtre-film ». Nathalie Sarraute compose quelques pièces (*Isma ou ce qui s'appelle rien*, 1970 ; *C'est beau*, 1973 ; *Elle est là*, 1980 ; *Pour un oui pour un non*,

1982) ; de même que Claude Mauriac (*La Conversation*, 1964 ; *Les Parisiens du dimanche*, 1968 ; *Le Cirque*, 1982). Le monde audiovisuel, rendu possible par l'essor des nouvelles technologies, attire certains auteurs. Beckett écrit des pièces radiophoniques, puis des pièces pour la télévision (*Quad*, 1982). Pinget s'essaie d'abord à la télévision (*Le Bifteck*, 1981), puis au théâtre radiophonique (*De rien*, 1995). Nathalie Sarraute compose deux pièces pour la radio (*Le Silence*, 1964 ; *Le Mensonge*, 1966). Butor écrit un texte radiophonique (*Réseau aérien*, 1962), une étude stéréophonique (*6 810 000 litres d'eau par seconde*, 1966) et un texte enregistré sur cassette (*Le Rêve d'Irénée*, 1979), comme le fera Duras deux ans plus tard (*La Jeune Fille et l'Enfant*).

La curiosité des Nouveaux Romanciers pour d'autres modes d'expression, loin de se limiter à ceux qui mettent en jeu un texte écrit, se porte également vers des domaines moins familiers, où la matière d'expression est radicalement différente, comme la peinture ou la photo. Les œuvres « dialoguées » entre écrivain et plasticien en séduisent plus d'un : des dessins de Matias accompagnent le texte de Pinget *Gibelotte* (1960) ; les eaux-fortes de Jean Deyrolle celui de *Cette chose* (1967). Claude Simon publie *Femmes* (1966) avec des gravures sur bois de Joan Miró, et *Orion aveugle* (1970), accompagné de dix-neuf illustrations (dessins de l'auteur, montages photographiques, planches anatomiques, eau-forte de Picasso, collages, etc.). Il publie également un livre de photographies, en 1992. Des photos d'Hélène Bamberger illustrent *La Mer écrite*, de Duras (1996) ; Robbe-Grillet écrit des pictoromans. Mais c'est sans doute dans l'œuvre de Michel Butor que le dialogue est le plus nourri tant par les arts plastiques (*Les Mots dans la peinture, Improvisations sur Henri Michaux, Vieira da Silva, Description de San Marco*) que par la musique (*Stravinsky au piano, Dialogue avec 33 variations de Ludwig van Beethoven sur une valse de Diabelli*).

2.6 Les Nouveaux Romanciers et le cinéma

Il eût été surprenant, dans ces conditions, que les tenants du Nouveau Roman ne soient pas tentés par l'expérience cinématographique. Ils le sont en effet, presque tous, à des degrés divers, de différentes façons.

Michel Butor joue le rôle du conférencier dans *Les Voyages de « Votre Faust »*, télé-film de Jean Antoine créé pour la télévision belge. Claude Mauriac et Claude Ollier s'intéressent au septième art de façon à la fois ciné-philique et « critique », l'un dans *L'Amour du cinéma* (1954), l'autre dans ses nombreux articles sur le cinéma publiés dans différentes revues (*NRF, Mercure de France, Cahiers du cinéma, Revue de Paris, Critique*, etc.) entre 1958 et 1968 et rassemblés dans *Souvenirs écran* (1981). Ollier y reconnaît la **fonction modélique du film** en tant que construction narrative : « [...] c'est bien là, croyons-nous, l'innovation majeure du cinéma que la capacité de forger de tels modèles, sans le secours du langage [...], par projection et diffusion sur une toile "sonore" d'un espace sournoisement isolé, décalé, épuré – par création, donc, d'une figure abstraite, enrichie, concentrant en les sublimant la totalité des données scéniques, c'est-à-dire le *lieu commun de tout récit*[31]. » Le même Claude Ollier réalise d'ailleurs avec J. A. Fieschi un court métrage intitulé *L'Accompagnement*.

S'intéresser au cinéma, c'est aussi l'inscrire dans sa pratique littéraire comme élément thématique ou mode nouveau de perception. Claude Ollier, en 1979, dans son introduction à *Souvenirs écran*, définit l'impact du cinéma sur son travail littéraire : « Fascination des films, jeux d'écriture et d'enfance : si ces "critiques" [...] ont un intérêt, c'est de montrer peut-être comment la vision des films a pu se lier très tôt, se rattacher à un travail d'écrivain, par repérage de convergences dans la pratique de la fiction, ou d'interférences dans le traitement des textes et des mythes, voire d'un certain "objet" commun – à une époque qui fut de renouvellement sans doute, et d'ouverture : on le mesure mieux aujourd'hui » (pp. 10-11). De son côté, Claude Simon reconnaissait dès 1966 l'enrichissement qu'apportaient aux écrivains la vision cinématographique et ses procédés spécifiques[32].

Été indien (1963), de Claude Ollier, et *Triptyque* (1973), de Claude Simon, sont probablement les deux Nouveaux Romans qui intègrent le plus étroite-ment le cinéma comme thème et comme structure audiovisuelle. Dans le livre de Simon, la juxtaposition – voire la surimpression – de trois « réalités »

---

31. *Souvenirs écran*, Gallimard, Paris, 1961, p. 17.
32. Voir *Cahiers du cinéma*, n° 189, 1966.

(picturale, littéraire, cinématographique) structurellement différentes construit un nouvel espace hétérogène et complexe qui brise toute unité et engendre un brouillage narratif et référentiel dont la notion de réalité est la première victime[33].

Plus engagés dans le processus cinématographique, certains Nouveaux Romanciers s'essayent à l'écriture scénaristique, voire à la réalisation. Samuel Beckett, dès le début de sa carrière littéraire, lit Eisenstein, Poudovkine et Arnheim. L'écriture cinématographique le tente à tel point qu'il écrit à Eisenstein, puis à Poudovkine, dans l'idée qu'ils pourraient lui servir de maîtres. Ni l'un ni l'autre ne répond... Déjà, lors de son premier séjour parisien, il écrit une parodie du *Cid (Le Kid)* dans laquelle il fait allusion à Charlie Chaplin. Dans *Murphy*, c'est Griffith qu'il évoque : « Quand, sans savoir comment ni pourquoi, il revint à lui, ou plutôt de lui, il vit d'abord l'air, puis sa cuisse moite de sueur, puis, comme projeté par Griffith sur l'écran muet en demi-longueur à travers un voile de larmes, Ticklepenny, cause peut-être de son réveil[34]. » Entre-temps, il se lance dans sa première expérience cinématographique. En 1963, on lui propose de participer à un projet aux côtés d'Harold Pinter et d'Eugène Ionesco, en tant que représentants du **nouveau théâtre**. Chacun devra écrire le scénario d'un court métrage. Seul celui de Beckett sera finalement tourné. C'est Alan Schneider – qui, pas plus que Beckett, n'a d'expérience en la matière – qui réalise le petit film de vingt minutes, intitulé *Film*. Buster Keaton – Charlie Chaplin a refusé – fera le rôle principal. Il s'agit d'une œuvre à caractère expérimental, fortement conceptuelle, sur la perception de soi-même. Dans son *Aperçu général*, Beckett fait explicitement référence à la philosophie de Berkeley : « *Esse est percipi*. Perçu de soi subsiste l'être soustrait à toute perception étrangère, animale, humaine, divine. La recherche du non-être par suppression de toute perception étrangère achoppe sur l'insupprimable perception de soi[35]. » *Film* est présenté au

---

33. Pour une analyse détaillée, voir J. M. Clerc, *Littérature et Cinéma*, Nathan Université, Paris, 1993, pp. 142-151.
34. Éd. de Minuit, Paris, 1965, p. 139.
35. *Comédies et Actes divers*, Éd. de Minuit, Paris, 1972, p. 113. L'angoisse de la perception de soi est ainsi représentée dans *Film* : « Œ (œil) poursuit O (objet). Il apparaîtra seulement à la fin du film que l'œil poursuivant est celui, non pas d'un quelconque tiers, mais du soi. »

Festival de Venise de 1965, où il obtient le prix de la Jeune Critique. La réception n'est cependant guère chaleureuse. Dans le meilleur des cas, la critique spécialisée lui reproche d'avoir transposé à l'écran des procédés littéraires. Le public, lui, demeure perplexe. Au pire, il siffle le film, comme au Festival de Tours, en 1966. C'est Georges Sadoul qui le premier y voit un « chef-d'œuvre ». Le chef-d'œuvre attendra tout de même dix-sept ans pour être de nouveau projeté en salle, à Paris, accompagné d'un texte de Gilles Deleuze le saluant comme « le plus grand film irlandais[36] ». Dès lors, il est l'objet d'études critiques qui en soulignent la richesse philosophique, méta-discursive et intertextuelle (liens avec le cinéma d'avant-garde des années vingt et celui des formalistes russes). Beckett écrit deux autres scénarios, *Play* (1963) et *Eh ! Joe* (1965), publiés en français sous les titres respectifs de *Comédie* et *Dis Joe*[37].

Alain Robbe-Grillet et Marguerite Duras sont, quant à eux, devenus cinéastes à part entière. Robbe-Grillet, après une première expérience de scénariste grâce à Alain Resnais, tournera neuf longs métrages. Duras réalise plus de quinze films, courts ou longs métrages.

Chez Robbe-Grillet, pratique cinématographique et pratique romanesque ne se confondent pas : « Plus je fais de films et plus je sens les problèmes différemment pour l'écriture et pour le cinéma[38]. » Conscient de la spécificité du médium « film », il explore le terrain « plus vierge » du cinéma avec la même obstination à **dérouter les conventions du réel** qu'il manifeste dans ses romans. Laissant Resnais seul avec le script de *L'Année dernière à Marienbad*, il part tourner *L'Immortelle* à Istanbul. Le film met à mal l'impression de réel – « Vous voyez bien que ce n'est pas une vraie ville », dit la protagoniste – et, se détournant de tout vraisemblable référentiel, crée son propre système de conventions qui, seul, régit la logique textuelle. Dans le même temps qu'il reçoit le prix Delluc, le film se fait éreinter par la critique... Si *L'Immortelle* se joue des stéréotypes touristiques, *Trans-Europ-Express* (1966) déjoue les conventions du genre policier : « Des codes atten-

---

36. G. Deleuze consacre plusieurs pages à *Film* dans son ouvrage *L'Image-mouvement*, Éd. de Minuit, 1983, pp. 97-103.
37. *Comédie et actes divers, op. cit.*
38. *Nouveau Roman : hier, aujourd'hui, 1., op. cit.*, p. 207.

dus, ils ne retrouvent que des images éclatées, parcellaires, miroitantes, entraînées dans un flux narratif étranger. Du même coup, le jeu des significations réglé par l'obéissance aux injonctions du genre, c'est-à-dire le discours social et idéologique qui, à travers ces dernières, s'adresse au spectateur, se trouve court-circuité et perverti au profit du libre jeu d'une parole neuve qui parle la société dans laquelle elle s'inscrit sans pour autant s'en faire le miroir[39]. » *L'Homme qui ment* (1968), défiant une fois encore les lois de la vraisemblance et de l'illusion référentielle, propose un personnage qui n'accède au statut de personnage que par sa parole, pur être de fiction, centre d'une construction rigoureuse qui ne fonctionne que par rapport à elle-même. *L'Eden et après* (1971) accumule les effets de dysnarration et s'offre lui aussi comme une architecture complexe et autonome. Utilisant les chutes de *L'Eden et après*, le film intitulé *N. a pris les dés* (version anagrammatique du titre précédent), grâce à un montage nouveau des mêmes éléments, raconte une tout autre histoire. Les films suivants – *Glissements progressifs du plaisir* (1974), *Le Jeu avec le feu* (1975), *La Belle Captive* (1983), *Un bruit qui rend fou* (1995) – poursuivent la tâche entreprise, d'exploration des moyens filmiques et d'ébranlement de la fonction représentative du cinéma.

Si la pratique cinématographique est pour Robbe-Grillet distincte et concurrente de l'écriture romanesque, la démarche de Marguerite Duras emprunte d'autres voies. Ses relations avec le cinéma remontent à la fin des années cinquante, lorsque René Clément adapte son roman *Un barrage contre le Pacifique* (1958). Sa réaction est celle d'une déception qu'elle s'explique mal : « C'était bien raconté, les événements étaient tous présents, à l'heure, mais l'écriture avait disparu. Et rien ne pouvait la remplacer. » D'ailleurs les adaptations de ses propres romans la déçoivent le plus souvent. C'est qu'elles sont le fruit d'une conception du cinéma qui n'est pas la sienne : « Je veux donner très peu à voir. Beaucoup moins qu'à penser, qu'à entendre. » En 1957, elle cosigne, avec Gérard Jarlot, le scénario de *Moderato cantabile*, que Peter Brook va adapter à l'écran. L'année suivante, elle accepte d'écrire le scénario d'*Hiroshima, mon amour* pour Alain Resnais. C'est en 1966 qu'elle coréalise son premier film, *La Musica*. En 1969, se

---

39. André Gardies, *Le Cinéma de Robbe-Grillet, Essai sémiocritique*, Albatros, Paris, 1983, p. 62.

lançant seule dans l'aventure, elle tourne son premier film à part entière, *Détruire, dit-elle*, à partir du texte publié sous le même titre. Puis se succèdent *Jaune le soleil* (1971), *Nathalie Granger* (1972), *La Femme du Gange* (1973), *India Song* (1975), *Son nom de Venise dans Calcutta désert, Baxter, Vera Baxter* (1976), *Des journées entières dans les arbres, Le Camion* (1977), *Navire Night* (1978), *Césarée, Les Mains négatives*, les deux *Aurélia Steiner* (1979), *Agatha et les lectures illimitées* (1981)*, Dialogue de Rome, L'Homme atlantique* (1982), *Les Enfants* (1985).

Marguerite Duras, *India Song*. Photographie © Jean Mascolo.

Production originale, à la fois abondante et marginale, dont *India Song* demeure le chef-d'œuvre unanimement reconnu, construit – selon le vœu de la réalisatrice – sur le son et sur la lumière. Ses films contribuent également à affirmer des talents d'acteurs : Gérard Depardieu, Delphine Seyrig, Michaël Lonsdale...

Pourtant, la pratique cinématographique n'a jamais eu pour Marguerite Duras l'importance de l'écriture littéraire : « Avant les livres il n'y a rien. Mais avant les films, il y a les livres », déclare-t-elle. Elle reconnaît cependant l'« aridité » de la littérature, raison de sa désertion momentanée au profit du cinéma. Mais le cinéma s'avérera « pourri », perverti par une conception quantitative et lucrative qui asphyxie les films à petits budgets comme les siens. Et lorsque l'adaptation cinématographique de *L'Amant*, par Jean-Jacques Annaud, aura supplanté le succès déjà considérable du livre, Marguerite Duras écrira le texte du film tel qu'elle-même l'aurait tourné (*L'Amant de la Chine du Nord*, 1991).

En ce sens, la trajectoire de Duras – pour qui le livre reste au cœur de l'expérience créatrice – s'oppose au parcours dédoublé de Robbe-Grillet qui mène les deux pratiques de façon distincte et parallèle. Les deux modes d'expression, chez Duras, entrent dans un rapport interactif, élaboré dans un processus constant d'effacement et de réécriture qui fonde la destruction comme principe même de la création.

2.7 Genres hybrides : scénario, ciné-roman

Le scénario est un genre qui fut longtemps déprécié, son aspect technique étant jugé peu compatible avec la nature d'une œuvre d'art. Sans statut véritable, il a du mal à trouver son équilibre entre des qualités littéraires parfois excessivement déployées et une absence gênante de souci d'écriture. En 1961, *L'Avant-Scène* crée une collection spécialisée dans la publication des continuités dialoguées et des découpages techniques – originaux ou écrits après-coup –, vulgarisant ainsi la forme scénaristique. Le scénario, directement lié au film, devient beaucoup plus technique, posant à l'occasion des problèmes de lisibilité.

Après la réalisation du film, Marguerite Duras écrit et publie *Hiroshima, mon amour, scénario et dialogue* (1960). Dans l'avant-propos, elle précise : « J'ai essayé de rendre compte le plus fidèlement qu'il a été possible, du travail que j'ai fait pour Alain Resnais dans *Hiroshima, mon amour.*/ Qu'on ne s'étonne donc pas que l'image d'A. Resnais ne soit pratiquement jamais *décrite* dans ce travail./ Mon rôle se borne à rendre compte des éléments à *partir desquels* Resnais a fait son film. » Le texte, ainsi purgé de toute terminologie technique et de toute allusion à l'image, se présente comme un texte de transition, sans véritable autonomie, qui permet le *passage* vers la réalisation.

C'est à Robbe-Grillet qu'il appartient de pousser plus avant l'expérience d'écriture d'un texte filmique en renouvelant le genre du « ciné-roman ». Son premier ciné-roman – *L'Année dernière à Marienbad* – porte le sceau à la fois du futur réalisateur et de son manque d'expérience. Robbe-Grillet avertit le lecteur : « On trouvera peu de termes techniques dans ces pages et peut-être les indications de montage, de cadrage, de mouvement d'appareil, feront sourire les spécialistes[40]. » L'image, on le voit, est déjà contenue dans le scénario. Mais la pratique de l'écrivain, sous-tendue par le principe dynamique qui régit toute son œuvre, évolue d'un ciné-roman à l'autre. Le second – *L'Immortelle* – offre en préambule une conceptualisation du genre : « Le livre peut ainsi se concevoir, pour le lecteur, comme une précision apportée au spectacle lui-même, une analyse détaillée d'un ensemble audiovisuel trop complexe et trop rapide pour être aisément étudié lors de la projection. Mais, pour celui qui n'a pas assisté au spectacle, le ciné-roman peut aussi se lire comme se lit une partition de musique ; la communication doit alors passer par l'intelligence du lecteur, alors que l'œuvre s'adresse d'abord à sa sensibilité immédiate, que rien ne peut vraiment remplacer[41]. » Le ciné-roman accède ainsi à un statut d'autonomie et conquiert une spécificité d'écriture. Le ciné-roman suivant (*Glissements progressifs du plaisir*), tout en offrant « un découpage exhaustif reproduisant l'architecture du film », évolue vers la métadiscursivité, le texte consignant les différentes strates de l'œuvre et présentant « la faculté de suivre avec un œil critique l'évolution génératrice d'un film, c'est-à-dire son histoire, en prenant conscience des étapes successives et contradictoires de son élaboration[42] ». Du coup, la présence manifeste d'un discours brouille les références, la technicité terminologique rompt constamment l'illusion mimétique, ne cessant d'affirmer la primauté du travail du texte et de ses conventions sur un réel de plus en plus fragile.

---

40. Éd. de Minuit, Paris, 1961, p. 19.
41. Éd. de Minuit, Paris, 1963, p. 8.
42. *Glissements progressifs du plaisir,* ciné-roman, Éd. de Minuit, Paris, 1974, p. 9.

2.8 Une génération de cinéphiles

Georges Perec, dans *Les Choses,* décrit fort bien cette nouvelle génération pour qui aller au cinéma fait partie intégrante d'un mode de vie :

> « Il y avait, surtout, le cinéma. Et c'était sans doute le seul domaine où leur sensibilité avait tout appris. Ils n'y devaient rien à des modèles. Ils apparte-naient, de par leur âge, à cette première génération pour laquelle le cinéma fut, plus qu'un art, une évidence ; ils l'avaient toujours connu, et non pas comme forme balbutiante, mais d'emblée avec ses chefs-d'œuvre, sa mythologie. Il leur semblait parfois qu'ils avaient grandi avec lui, et qu'ils le comprenaient mieux que personne avant eux n'avait su le comprendre.
>
> « Ils étaient cinéphiles. C'était leur passion première ; ils s'y adonnaient chaque soir, ou presque. Ils aimaient les images, pour peu qu'elles soient belles, qu'elles les entraînent, les ravissent, les fascinent. [...] Ils n'étaient, ni trop sectaires, comme ces esprits obtus qui ne jurent que par un seul, Eisenstein, Buñuel, ou Antonioni, ou encore – il faut de tout pour faire un monde – Carné, Vidor, Aldrich ou Hitchcock, ni trop éclectique, comme ces individus infantiles qui perdent tout sens critique et crient au génie pour peu qu'un ciel bleu soit bleu ciel, ou que le rouge léger de la robe de Cyd Charisse tranche sur le rouge sombre du canapé de Rober Taylor. Ils ne manquaient pas de goût. Ils avaient une forte prévention contre le cinéma dit sérieux, qui leur faisait trouver plus belles encore les œuvres que ce qualificatif ne suffisait pas à rendre vaines (mais tout de même, disaient-ils, et ils avaient raison, *Marienbad*, quelle merde !), une sympathie presque exagérée pour les westerns, les thrillers, les comédies américaines, et pour ces aventures étonnantes, gonflées d'envolées lyriques, d'images somp-tueuses, de beautés fulgurantes et presque inexplicables, qu'étaient par exemple – ils s'en souvenaient toujours – *Lola, La Croisée des destins, Les Ensorcelés, Écrit sur du vent*[43]. »

On ne saurait mieux définir la réceptivité d'une génération formée dans l'image, pour qui l'existence même du cinéma relève d'une évidence quasi naturelle, pour qui chaque séance est la promesse de « ce film total que chacun parmi eux portait en lui, ce film parfait qu'ils n'auraient su épuiser.

---

43. Julliard, Paris, 1965, pp. 49-50.

Ce film qu'ils auraient voulu faire. Ou, plus secrètement sans doute, qu'ils auraient voulu vivre[44] ».

Mais, paradoxalement, cette génération cinéphilique ne fournit pas au nouveau cinéma un public disposé à l'enthousiasme : ouverte aux films du passé comme à ceux du présent, elle se montre néanmoins réticente – voire hostile – à un type de cinéma qui, allant *a contrario* du cinéma narratif dominant, déstabilise fortement le spectateur en troublant le processus d'identification et de pleine adhésion à la fiction, et, partant, la projection fantasmatique.

---

44. *Ibid.*, p. 51.

© Nathan, *Nouveau Roman, nouveau cinéma*

3

D'UN LANGAGE L'AUTRE

L'intégration de deux types de discours – littéraire et filmique – dans une même perspective ne va pas de soi. L'idée de passage du roman au film se fait certes aisément. Sans aucun doute par le biais du récit, forme commune au roman et au cinéma dominant. Arts de la temporalité tous deux (déroulement des phrases et des photogrammes dans une successivité obligée), ils partagent une même prédilection pour la narration et ont à faire face aux mêmes problèmes – différemment posés et résolus – d'énonciation, d'organisation du récit, de structuration spatiotemporelle, de construction de personnages, etc. Partant de là, il est tentant d'assimiler des procédures seulement **comparables**, opération qui conduit trop souvent à penser le cinéma en termes de littérature – la pesanteur des hiérarchies culturelles conférant volontiers au cinéma une fonction subalterne par rapport à la littérature.

Or le récit littéraire et le récit filmique ont chacun une spécificité qu'il convient de préserver, et avant cela de désigner. C'est là l'objet du présent chapitre, qui, mettant en lumière les oppositions majeures entre les deux modes d'expression, permettra une prise de conscience des problèmes spécifiques auxquels écrivains et réalisateurs sont confrontés ainsi qu'une plus juste appréciation de chacun d'entre eux comme forme créatrice à part entière. L'exposé ne se veut pas exhaustif : il attire l'attention sur des différences particulièrement éclairantes dans la perspective d'une confrontation entre Nouveau Roman et nouveau cinéma.

1. ARBITRAIRE/MOTIVATION

La première différence essentielle, et lourde de conséquences, entre langage verbal (et par là littéraire) et langage filmique relève de leur structure même : alors que le langage verbal n'est soumis à aucune motivation, le langage filmique obéit à une codification analogique. Dans un cas, aucun rapport de ressemblance ne s'établit entre le signe et ce qu'il représente. L'absence de motivation fonde l'arbitraire du signe : entre le mot « fourchette » et l'objet référentiel, seul existe un rapport non motivé, de pure convention. Dans l'autre cas, c'est la ressemblance qui fonde le lien entre le signe et ce qu'il représente : l'image filmique d'une fourchette ressemble à l'objet fourchette du monde référentiel. Elle en est l'*analogon*. Cette ressemblance, qui fait apparaître le signe iconique comme « égal aux choses » est elle-même conventionnelle : « Le signe iconique construit un modèle de relations (entre phénomènes graphiques) homologue au modèle de relations perceptives que nous construisons en connaissant et en nous rappelant l'objet[1]. »

Sans vouloir radicaliser la distinction et faire des deux structures des catégories étanches, on peut dire que, d'une façon générale, les langages digitaux, plus élaborés, plus complexes, sont plus aptes à l'énonciation de contenus, à la conceptualisation, à l'abstraction, tandis que les langages analogiques, moins précis et par là même plus équivoques, sont plus à même d'établir des relations et de susciter des émotions.

1.1 Absence/présence du réel

En vertu de l'arbitraire du signe, le réel n'apparaît jamais, dans un roman, que sous forme de mots. Les paysages – naturels ou architecturaux –, les objets, les personnages, pour forte que soit l'impression de réalité qu'ils construisent, ne sont jamais que des paysages, des objets, des personnages faits de mots. Le réel n'a une présence que si les mots le construisent. En d'autres termes, le réel romanesque est une construction purement imaginaire, virtuelle, qui n'impose pas préalablement sa présence physique au créateur. L'approche réaliste, qui suppose une représentation mimétique du monde référentiel, peut être ainsi aisément évitée, si telle est la volonté du narrateur. Dans cette phrase de *Moderato cantabile*, de Marguerite Duras, le jeu spéculaire déréalise le décor tout en conférant à sa présence une discrète dimension métaphysique : « Pendant qu'il buvait, dans ses yeux levés le couchant passa avec la précision du hasard[2]. »

---

1. Umberto Eco, « Sémiologie des messages visuels », in *Communications*, EPHE, 15, 1970, p. 21.
2. Éd. de Minuit, Paris, 1958, p. 73.

Alain Robbe-Grillet, *L'Homme qui ment.* Photographie de tournage, © Catherine Robbe-Grillet.

Au cinéma, le réel est toujours déjà là, imposant au créateur sa présence têtue. De par la nature mécanique de sa fonction de reproductibilité, la caméra est contrainte d'enregistrer du réel. Même un cinéaste aussi méfiant envers le réel que l'est Peter Greenaway, qui « arrange » le réel avant – ou après – chaque prise de vue par des jeux de fragmentation, collage, incrustation, composition plastique, de façon à ce que chaque plan s'affiche comme une création artificielle, ne peut l'évacuer totalement de l'image, ne serait-ce que dans le recours aux personnages, qui, dans leur dimension incarnée, sont des simulacres d'hommes et de femmes « réels ». En tout état de cause, l'image enregistrée est bien la trace – et l'effigie –, comme pour la photo, d'un objet, d'un être qui un jour fut présent. C'est à partir de ce réel-là, de cette présence irréductible, que le film doit construire son discours. Et c'est bien sûr à la faveur de cette présence irréductible du réel que s'est développée la tendance « réaliste » du cinéma, exploitant le formidable pouvoir de l'image mouvante de simuler le réel.

Pour les nouveaux cinéastes, qui cherchent à déconstruire la notion de réalisme, cette résistance du réel apparaît comme un élément conflictuel, qui n'est pas pour autant négatif. Robbe-Grillet y voit même une stimulation pour l'acte créateur. Il ne s'agit pas pour lui d'ignorer le réel mais bien plutôt de le réagencer, de l'utiliser comme matériau de base pour une réélaboration de ses éléments, ce en quoi réside, à ses yeux, sa liberté créatrice. Celle-ci s'exerce néanmoins contre l'ordre établi du réel. Le cinéma devant compter avec le réel, l'effort de Robbe-Grillet, mais aussi d'Alain Resnais ou de Marguerite Duras, sera de le transformer grâce à diverses manipulations (montage, composition, chromatisme, mouvements d'appareil...) et d'en faire une parole neuve, éloignée de toute convention réaliste. *L'Homme qui ment*, de Robbe-Grillet, utilise ainsi un décor « naturel » – une vraie forêt, un vrai château, une vraie auberge, une vraie rivière – dont il subvertit le réalisme convenu par des procédures de tous ordres.

Dans un même souci de battre en brèche la convention réaliste, qui est selon Robbe-Grillet un « affadissement du réel », Nouveau Roman et nouveau cinéma empruntent donc des cheminements opposés dans leur rapport au réel : partant d'une absence, le roman construit de toutes pièces un réel qui lui est propre ; partant d'une présence obstinée, le film entre en lutte avec les morceaux de réel enregistrés, lutte dont naîtra la réalité nouvelle, produit de l'imaginaire créateur.

1.2 Focalisation assertive/focalisation non assertive[3]

Le problème de l'assertivité de la focalisation est étroitement lié au précédent. Il existe un niveau de signification où le langage verbal est moins polysé-mique que l'image filmique. Fondé sur l'arbitraire, le langage verbal fabrique

---

3. Nous empruntons à Christian Metz cette opposition développée au cours de son séminaire des Hautes Études, en 1985-1986, sur la polysémie de l'image.

des énoncés avec des signes purement conventionnels. Il sélectionne ainsi dans le réservoir lexical les seuls éléments qu'il juge pertinents pour son propos. En somme, le langage verbal ne dit que ce qu'il veut dire : sa focalisation est **assertive**[4]. Fort de cette liberté, un romancier peut choisir de décrire physiquement son personnage dès sa première apparition, ou de distribuer parcimonieusement les informations au fil du récit, ou encore de ne jamais donner d'éléments qui permettent de construire une entité physique. Tous les cas de figure sont autorisés, de la description exhaustive à la description absente, en passant par la description partielle ou parcellisée. Ainsi, lorsque, au début du *Voyeur*, Mathias apparaît sur le quai, rien n'est dit de sa personne physique qu'une posture : « Légèrement à l'écart, en arrière du champ que venait de décrire la fumée, un voyageur restait étranger à cette attente. La sirène ne l'avait pas plus arraché à son absence que ses voisins à leur passion. Debout comme eux, corps et membres rigides, il gardait les yeux au sol[5]. »

La présentation de Murphy joue sur la même réticence énonciative : « Il était assis, nu, dans sa berceuse. […] Sept écharpes le maintenaient. Deux liaient les tibias aux bascules, une les cuisses au siège, deux autres au dossier le ventre et la poitrine, une autre les poignets à la barre de derrière. Seuls étaient possibles les mouvements locaux. De la sueur lui coulait par tout le corps. La respiration n'était pas perceptible. Les yeux, froids et figés comme ceux d'une mouette, fixaient sur la moulure lézardée de la corniche une éclaboussure irisée qui allait pâlissant et se rapetissant[6]. » Visiblement, ce qui intéresse le narrateur, dans un cas comme dans l'autre, ce n'est pas une identité physique qui construirait un personnage selon les conventions du réalisme, mais bien plutôt un rapport du personnage à l'espace et au monde.

L'image filmique quant à elle, en vertu de sa nature analogique, a du mal à supprimer les traits non pertinents de son énoncé. Si, au cours de son histoire, elle a su développer de nombreux moyens de focalisation (gros plan, angle de prise de vue, cadrage, éclairage…), cette focalisation – **non assertive** – ne prend pas l'allure d'une affirmation, car elle est contrainte d'intégrer des

---

4. Une telle définition est quelque peu restrictive, mais elle permet d'opposer clairement les deux modes d'expression.
5. Éd. de Minuit, Paris, 1955, p. 9.
6. *Murphy*, S. Beckett, Éd. de Minuit, 1965, p. 7.

éléments non signifiants, matériellement indissociables des éléments signifiants. C'est ainsi qu'au cinéma il serait impossible de montrer un personnage attaché sur une berceuse, sans du même coup désigner les autres traits constitutifs de sa personne physique. *Film* est à cet égard significatif : jusqu'à la dernière séquence, où l'image le montre de face, assis dans sa berceuse, le personnage incarné par Buster Keaton n'apparaît que de dos, l'abstraction recherchée, favorisée par l'anonymat et l'absence de singularisation étant ainsi préservée. Dans *L'Homme qui ment*, en revanche, l'incarnation du « héros » par Jean-Louis Trintignant impose au personnage une personnalité physique qui infléchit le discours du film dans un sens particulier, Robbe-Grillet ayant choisi cet acteur pour son caractère « non marqué[7] » évitant ainsi une surdétermination contraire à son propos.

1.3 Le cinéma : art du réel ou de l'irréel ?

La virtualité de la fiction littéraire, constituée de mots, relève de l'évidence. La virtualité de la fiction cinématographique ne s'impose pas aussi aisément, la prégnance de l'image mouvante invitant à l'illusion. On sait bien, pourtant, que « l'image est l'absence irrémédiable du corps représenté » (Barthes) ; on sait aussi que sa « platitude » est un défi à la tridimensionnalité de la perception « réelle ». On sait, en d'autres termes, que l'étonnante impression de réalité que confère à l'image filmique son caractère analogique n'est qu'un simulacre, et qu'un objet filmique est tout autant un ensemble de signes que l'est un objet littéraire. Il n'en demeure pas moins que l'effet produit est différent et que les modalités de construction d'un personnage ou d'un décor ne peuvent être les mêmes. La matérialité feinte de l'image filmique impose une réalité que le nouveau cinéma devra évacuer ou transformer de façon à détruire une convention réaliste qu'il juge aussi appauvrissante qu'idéologiquement rassurante. Paradoxalement, le cinéma, dont la vocation première semblait bien être de reproduire le réel (la plupart des films Lumière), et qui, au cours de son histoire, a conservé cette vocation, passe tout autant pour un art de l'irréel, et ce, dès ses balbutiements (voir *Voyage dans la lune*, de Méliès). Le montage, notamment, et ses possibilités magiques de manipuler

---

7. À la différence d'acteurs « marqués », comme J.-P. Belmondo ou J. Gabin.

l'image du réel, est un moyen – dont usent abondamment les nouveaux cinéastes – d'affaiblir, d'annuler ou de détourner l'impression de réalité inhérente au médium.

2. INTÉRIORITÉ/EXTÉRIORITÉ

La préoccupation pour les problèmes de point de vue et de perspectives narratives romanesques – *a fortiori* leur théorisation – est un phénomène relativement récent, qui en France n'affleure guère qu'avec Flaubert. Ses prédécesseurs ne s'encombraient guère de savoir qui parle dans un roman. Le roman s'est ainsi fait depuis longtemps, et sans trop y penser, une spécialité d'explorer l'intériorité de ses personnages. L'absence de focalisation – la fameuse « omniscience » balzacienne – confère au narrateur, par pure convention, un don de voyance illimitée. Totalement irréaliste, mais naturalisée au bout du compte par la convention, ce point de vue surhumain légitime l'accès du narrateur à toutes les informations nécessaires à la construction de la fiction, quelle qu'en soit la source. La focalisation interne, qui suppose une restriction du champ à un ou plusieurs personnages, permet de même au narrateur d'accéder à sa conscience, à ses sentiments, à ses émotions, à ses réflexions, à ses fantasmes. Le monologue intérieur rapporté ou la narration à la première personne sont des formes privilégiées du discours de l'intériorité.

Au cinéma, le problème se pose différemment. D'abord pour des raisons pratiques, qui tiennent à la nature même du dispositif cinématographique, et que Robbe-Grillet définit clairement : « Dans le film, la question revêt un aspect très particulier qui a été systématiquement gommé par tout le cinéma traditionnel : c'est le problème de la caméra. Est-ce que la caméra parle, ou l'auteur ou quelque chose d'autre ? Car si le cinéma a été le champ d'expériences extrêmement riches relatives à ces problèmes, c'est qu'il n'y a pas de cinéma sans une situation narrative déterminée. Quand on arrive sur le plateau, l'assistant demande au réalisateur : où met-on la caméra ? C'est le premier problème qui se pose. Or, dans tout le reste du film, une fois le tournage terminé, la caméra aura effectivement disparu. [...] On s'est vite rendu compte que la caméra était un objet très particulier, un objet pas du tout comme les autres, une sorte de conscience narratrice qu'il fallait faire disparaître pour laisser la place à l'auteur. Comprendre ce problème, c'est essayer d'explorer toutes les voies qui ont été négligées et gommées volontairement, pour enrichir le champ du cinéma[8]. »

Ainsi, le point de vue, au cinéma, passe obligatoirement par la caméra, dont la fonction est d'enregistrer. Le dispositif semble l'exact équivalent de ce que la théorie littéraire appelle la focalisation externe. Le narrateur limite ses informations à son champ perceptif, sans jamais accéder à la conscience des personnages. Au cinéma, le point de vue étant déterminé à la fois par l'image et le son, le spectateur ne reçoit d'autre information que ce qu'il voit et que ce qu'il entend. Sa perception du monde et des personnages diégétiques demeure purement extérieure, et son travail de lecture et d'interprétation se fait à partir de cette extériorité. Le cinéma semble donc bien peu armé pour l'exploration de l'intériorité, face au roman qui l'a conquise de longue date. La caméra peut être omnivoyante, montrer ce qui se passe aux quatre coins du globe, le micro peut recueillir des paroles et des sons dans les lieux les plus divers, leur saisie du monde demeure fondamentalement extérieure.

Pour pallier ce qui peut être ressenti comme un manque, le cinéma a développé diverses configurations énonciatives lui permettant l'accès à l'intériorité. L'une d'elles convoque une voix *off* dont le discours révèle les pensées ou les émotions du personnage à l'image. Cette voix peut appartenir à un commentateur, intradiégétique ou extradiégétique, distinct du personnage « focalisé », dont la parole est en décalage temporel avec l'image. Elle peut également être, par convention, celle du personnage lui-même, voix « intérieure » qui extériorise le contenu de la conscience. La « vision subjective[9] », autre configuration récurrente, apparaît lorsque la caméra se substitue à un personnage, restituant à l'image ce qu'il perçoit du monde (le personnage peut d'ailleurs, par convention, être inclus dans le champ). Là encore, la perception demeure extérieure, mais la subjectivité dont elle s'imprègne, favorisant la perméabilité entre les deux espaces – extérieur et intérieur –,

---

8. François Jost, *Alain Robbe-Grillet, Œuvres cinématographiques*, Édition vidéographique critique, ministère des Relations extérieures, Cellule d'animation culturelle, Paris, 1982, pp. 23-24.
9. Jean Mitry répertorie les images « subjectives » au cinéma dans *Esthétique et psychologie du cinéma*, Éd. universitaires, Paris, 2 vol., 1963 et 1965.

permet au spectateur de pénétrer plus avant dans l'intimité du personnage. L'une des séquences de *Demonios en el jardín*, de Manuel Gutiérrez Aragón, est ainsi tournée du point de vue de l'enfant, dont le champ de vision n'embrasse que les troncs des arbres et la partie inférieure des soldats à cheval qui parcourent la forêt. Forçant quant à elles le secret de l'altérité, les images « mentales », censées représenter divers états de conscience – souvenir, rêve, rêverie, fantasme, délire, etc. –, projettent le spectateur dans une intériorité inconnue. Flou, ralenti, jeux de montage, changements de chromatisme ou de cadrage, surimpressions optiques, mouvements d'appareils inattendus, déformations sonores, apparition d'un thème musical… sont autant de procédés de subjectivisation du discours diégétique.

En somme, le roman, profitant de l'immense liberté que lui offrait la matière d'expression constituée par les mots, s'octroya d'emblée et sans scrupules le droit d'accès à l'intériorité des personnages. Le cinéma, en revanche, limité par un dispositif contraignant, à vocation d'appréhension extérieure du monde, dut sans cesse inventer de nouvelles procédures pour conquérir l'accès à la conscience.

Le paradoxe, s'agissant du Nouveau Roman et du nouveau cinéma, réside en ce que certaines pratiques vont à l'encontre de la vocation première du médium utilisé. Nombre de romans sont en effet écrits, en totalité ou en partie, en focalisation externe, s'accordant en cela à l'approche phénoménologique qui sous-tend souvent la vision de leurs auteurs. Témoin ce passage du *Voyeur* qui ne révèle que la surface des choses, l'alternative finale impliquant une énonciation extérieure et un savoir lacunaire :

« La servante regardait le sol à ses pieds. Le patron regardait la servante. Mathias voyait le regard du patron. Les trois marins regardaient leurs verres. Rien ne révélait la pulsation du sang dans les veines – ne fût-ce qu'un tremblement.

« Il serait vain de prétendre évaluer le temps que cela dura.

« Deux syllabes résonnèrent. Mais au lieu de rompre le silence, elles firent corps avec lui de toutes parts :

« "Tu dors ?"

« La voix était grave, profonde, un peu chantante. Bien que prononcés sans colère, presque bas, les mots contenaient sous une douceur feinte on ne sait quelle menace. Sinon, ce pouvait être en cette apparence de menace, au contraire, que résidait la feinte » (pp. 57-58).

Le cas de *La Jalousie* offre une posture énonciative limite dans la mesure où l'histoire, mettant en scène une situation triangulaire classique – le mari, la femme et son amant présumé –, et racontée par le mari qui, dans sa jalousie, épie sa femme, écoute, imagine, n'est à aucun moment prise en charge par un « je », marque d'énonciation attendue :

> « Peut-être en somme le bruit ne s'est-il répété que deux fois.
> « À mesure qu'il s'éloigne dans le passé, sa vraisemblance diminue. C'est maintenant comme s'il n'y avait rien eu du tout. Par les fentes d'une jalousie entrouverte – un peu tard – il est évidemment impossible de distinguer quoi que ce soit. Il ne reste plus qu'à refermer, en manœuvrant la baguette latérale qui commande un groupe de lames[10]. »

Une telle « néantisation » du je, dans un récit dont la structure énonciative prête au contraire à l'exhibition du moi, est à mettre en rapport avec une phénoménologie existentielle pour qui « le néant est la mise en question de l'être par l'être, c'est-à-dire justement la conscience ou pour-soi[11] ». Le contenu mental de la conscience du narrateur se trouve ainsi « projeté », de façon quasi objective, dans les descriptions, les réminiscences, les répétitions de scènes et leurs variantes, les hypothèses échafaudées.

Par une démarche analogue, Alain Resnais, dans *Hiroshima, mon amour* ou *L'Année dernière à Marienbad*, contredisant la pente « naturelle » du dispositif d'enregistrement cinématographique à construire une énonciation qui demeure extérieure à son objet, invente un cinéma de l'intériorité. « Cinéaste de la mémoire », comme la critique aime à le définir, il fait de son premier long métrage un film sur le temps mental du souvenir et de l'oubli : « L'idée d'*Hiroshima, mon amour* est celle-ci : la mémoire étant une forme de l'oubli, l'oubli ne peut s'accomplir totalement qu'une fois que la mémoire a elle-même totalement accompli son œuvre. Vis-à-vis de son amant japonais, la jeune actrice qui tourne à Hiroshima un film sur la bombe atomique se trouve, quatorze ans plus tard, dans une situation comparable à celle qu'elle

---

10. A. Robbe-Grillet, Éd. de Minuit, Paris, 1957, p. 171.
11. J.-P. Sartre, *L'Être et le Néant*, Gallimard, Paris, 1943, éd. 1977, p. 117.

avait vécue, pendant la guerre, avec un soldat allemand. Toute la démarche du film consiste à lui faire découvrir cette similitude, la comprendre et s'en délivrer[12]. »

Alain Resnais, *L'Année dernière à Marienbad*. Photographie coll. *Les Cahiers du cinéma.*

Si l'on adopte pour *L'Année dernière à Marienbad* une lecture conforme à celle du public et de la critique des années soixante, lecture légitimée par les déclarations de Robbe-Grillet lui-même (« c'est l'histoire d'une persuasion... »), le film se présente comme le récit étrange et fascinant des fantasmes d'un homme qui tente de convaincre une femme qu'ils se sont déjà rencontrés. Les nombreuses répétitions, l'impression de déjà-vu qui en découle, la confusion dans laquelle est noyée la temporalité, les contradic-

12. Bernard Pingaud, *Premier Plan*, n° 18, p. 5.

tions, tout évoque la complexité d'un univers mental dans les méandres duquel s'égarent de conserve personnages et spectateurs.

D'une façon comparable, Robbe-Grillet dans ses films met en jeu des projections mentales ou fantasmatiques, qui renvoient à une réalité intérieure.

3. Temporalité/spatialité

Roman et récit filmique, contraints de se déployer dans la successivité – des mots et des photogrammes – sont des arts de la temporalité. Leur lecture s'ordonne pareillement selon un axe temporel, lié au défilement des pages et des images. En cela ils s'opposent à la peinture, art de la simultanéité, qui rassemble en un même espace synchrone tous les éléments constitutifs de l'œuvre, autorisant une appréhension synthétique et instantanée. Cependant, la nature même de la matière d'expression introduit entre les deux médias une différence importante, que rappelle Christian Metz : « La langue [...] n'est "représentable" qu'à travers un modèle comportant d'emblée deux listes et non une seule : une liste de combinaisons autorisées entre éléments (c'est proprement la "grammaire", pour les générativistes, ou l'ensemble des "règles"), et une liste d'éléments autorisés qui constitue dans la même terminologie l'"alphabet" ou "vocabulaire"... : on pourrait dire, dans cet esprit, que le propre du langage cinématographique est d'être représentable par une seule liste, de posséder jusqu'à un certain point une grammaire, mais pas de vocabulaire[13]. » À proprement parler, le langage cinématographique – qui n'est donc pas une langue – ne possède ni lexique, ni syntaxe : il ne dispose ni de modes, ni de temps verbaux, ni d'aspects, ni de personnes, ni de modalisateurs, ni de négation, même s'il est vrai que certains éléments codiques (fondu au noir, fondu enchaîné, flou, changement de chromatisme, surimpression optique ou sonore, signifiés de montage, etc.) sont susceptibles de construire un simulacre de syntaxe.

Face à la souplesse qu'offre la langue pour exprimer la **temporalité**, se projeter dans l'avenir ou, au contraire, explorer les différentes strates du passé, glisser d'un temps « réel objectif », mesuré par les horloges, à un

---

13. *Le Signifiant imaginaire*, UGE, coll. « 10/18 », Paris, 1977, p. 258.

temps subjectif, régi par les mécanismes de l'univers mental (souvenir, rêverie, supputation, onirisme, hallucination…), le cinéma semble disposer de moyens nettement moins précis. Comment, par exemple, traduire en langage cinématographique, sans avoir recours à une voix *off* de commentaire, ce passage du *Ravissement de Lola V. Stein,* de Marguerite Duras, qui évoque une pluralité d'antériorités et de valeurs aspectuelles ? : « Même après sa guérison, elle ne s'inquiéta jamais de savoir ce qu'il était advenu des gens qu'elle avait connus avant son mariage. La mort de sa mère – elle avait désiré la revoir le moins possible après son mariage – la laissa sans une larme. Mais cette indifférence de Lol ne fut jamais mise en question autour d'elle. Elle était devenue ainsi depuis qu'elle avait tant souffert, disait-on[14] ».

Au cinéma, l'absence de temps verbaux et de modes, jointe à la nature monstrative de l'image filmique, explique que celle-ci semble toujours « au présent », ou, plus exactement, en cours d'accomplissement, actualisée dans son aspect duratif[15]. De là l'impossibilité d'identifier un flash-back en cours de déroulement si l'on n'a pas préalablement assisté à sa mise en place. Un spectateur qui n'aurait pas vu le début du film de Carné *Le jour se lève* ne pourrait lire la rencontre entre les deux héros comme ce qu'elle est : une analepse. Le récit littéraire, disposant de l'arsenal de la langue, semble incontestablement mieux armé que le cinéma pour résoudre le problème esthétique que pose la représentation du temps.

En revanche, la **spatialité**, dans sa dimension concrète, sensorielle, trouve au cinéma un accès presque naturel à la représentation. Le film, en effet, se déroule simultanément sur deux axes : l'axe diachronique de la successivité et l'axe synchronique de l'image (éléments coprésents dans le champ). Une fois encore, le caractère analogique et monstratif de l'image filmique – qui intègre dans son dispositif les lois de perspective du Quattrocento qui dominent depuis lors la peinture figurative – permet la construction d'un espace perceptible, simulacre de l'espace référentiel. Comme la peinture, le cinéma fait surgir dans la simultanéité une série d'éléments (figuration d'objets naturels ou construits, iconiques et sonores) qui constitue l'espace fictionnel. Soumis

---

14. Gallimard, Paris, 1964, coll. « Folio », 1984, p. 32.
15. Voir André Gaudreault et François Jost, *Le Récit cinématographique*, Nathan, Paris, 1990, pp. 101 *et sq.*

au déroulement temporel, le cinéma est aussi un art de la spatialité, contrairement à la littérature, qui se voit contrainte d'inscrire l'espace dans un processus de successivité. L'espace est ainsi, dans un roman, toujours « temporalisé ». Là où une « vraie » carte postale – ou une image filmique – offre instantanément la totalité de l'espace représenté, le narrateur de *Triptyque*, de Claude Simon, « énumère », les ordonnant dans la chronologie du discours, les éléments qui la constituent : « La carte postale représente une esplanade plantée de palmiers qui s'alignent sous un ciel trop bleu au bord d'une mer trop bleue. Une longue falaise de façades blanches, éblouissantes, aux ornements rococo, s'incurve doucement en suivant la courbe de la baie. Des arbustes exotiques, des touffes de cannas sont plantés entre les palmiers et forment un bouquet au premier plan de la photographie[16]. »

Si l'on s'en tient à la nature de chaque mode d'expression, il est clair que la vocation du **roman** l'entraîne vers la **représentation du temps**, alors que celle du **cinéma** favorise la **représentation de l'espace**. Cela dit, une telle dichotomie, qui ne tient pas compte de l'évolution des codes, est forcément simplificatrice. Les arts se sont toujours efforcés, au cours de leur histoire, de conquérir des terres censées leur être inaccessibles. Les infinies combinaisons offertes par le montage cinématographique ou les richesses expressives engendrées par l'invention des mouvements d'appareil en sont l'illustration.

S'inscrivant dans cette démarche d'exploration et d'invention formelles, le Nouveau Roman et le nouveau cinéma pratiquent volontiers leur art à contre-courant, les ouvrant à de nouvelles perspectives. C'est ainsi que Claude Simon, dans *Triptyque*, tente une aventure d'écriture qui ressemble à un défi : s'efforçant de figer le temps, il réduit son discours à la description, faite au présent, d'une série d'espaces juxtaposés, saisis dans la simultanéité. Délivré de toute finalité, le temps n'est plus que celui des mouvements effectués par les personnages ou les objets qui meublent les espaces, comme dans ce passage où la multiplicité des espaces contigus est légitimée par un jeu de miroir : « Sortant une jambe de sous le drap et l'étirant, la femme atteint de son orteil la porte, pourvue d'une glace, de l'armoire située près du lit et la fait pivoter sur ses gonds jusqu'à ce que dans l'étroit rectangle délimité par les deux côtés verticaux apparaisse la tête coupero-

---

16. Éd. de Minuit, Paris, 1973, p. 7.

sée, vue maintenant en profil perdu, soit : la chevelure argentée (où çà et là apparaissent encore des mèches jaunes), la nuque lie-de-vin, le cou épais, flasque, qui déborde sur le col de la chemise, les circonvolutions de l'oreille d'un rose plus vif et la ligne onduleuse qui partant de l'arcade sourcilière se creuse, se gonfle de nouveau sur la pommette et s'affaisse plus bas en replis mous. Dans son mouvement tournant, la glace a reflété pendant une fraction de seconde la pénombre du studio où dans un camaïeu brun est apparue la forme noire de la caméra de prises de vues aux yeux multiples, ses tambours, ses socles, ses câbles, et les visages attentifs quoique imprécis des techniciens de l'équipe massés derrière elle[17]. » Michel Butor, dans *L'Emploi du temps*, tente, pour saisir une durée qu'une mémoire lacunaire, ponctuelle, rongée par l'oubli rend difficile à appréhender, de la projeter dans l'espace, sur un parcours. Dans ce sens, l'effort de compréhension topographique de Bleston – lieu de la fiction – se lit comme une tentative de fixer le temps.

À côté d'entreprises romanesques de ce type qui tendent à privilégier la représentation de la spatialité, les nouveaux cinéastes affrontent volontiers la représentation de la temporalité. C'est, bien sûr, le cas d'Alain Resnais dont les trois premiers films s'élaborent autour des mécanismes de la mémoire. *Hiroshima, mon amour* met en place un jeu complexe de montage iconique et musical qui tisse un lien d'analogie, puis d'identification libératoire entre Nevers, lieu de l'ancien amour meurtri, et la ville d'Hiroshima, mutilée par l'Histoire, théâtre d'un nouvel amour. Marguerite Duras crée dans ses films une temporalité totalement subjective, distendue et fascinante, quasi hypnotique, par la fixité des prises de vues, la durée anormale des plans et leur répétition.

L'homme, pour Robbe-Grillet, est un être qui se « projette » mentalement, toujours en décalage avec sa propre réalité. C'est dans ces projets mentaux que réside sa liberté. Liberté d'agencer selon ses désirs les « morceaux » de réalité qu'il perçoit. Liberté d'investir de ses fantasmes les êtres et les choses. Le temps acquiert alors une **dimension mentale**, imaginaire, qui entre en conflit avec la temporalité conventionnelle, déstabilisant à la fois la narration et le spectateur. Le cinéaste explique lui-même comment le montage de *L'Homme qui ment*, induisant un temps mental, subvertit l'ordre convention-

17. *Op. cit.*, pp. 128-129.

nel des plans qui cessent d'être régis par les lois de la chronologie causale :
« […] il [le héros] va passer de l'auberge au château par une suite de projets
mentaux, en ce sens qu'il est toujours à l'auberge : on le voit de temps en
temps toujours assis à la même table, en train d'écouter, et en même temps
sont intercalés des plans où il est déjà en train de demander son chemin à des
gens, d'interroger la pharmacienne, de passer la grille du château[18]. »

En fait, les nouveaux cinéastes utilisent l'**indétermination temporelle**
inhérente à l'image filmique comme facteur de confusion entre les différentes
catégories temporelles, de la même façon qu'ils exploitent l'absence de
modes et de modalisateurs dans le langage cinématographique dans une intention antiréaliste de brouillage entre les différents niveaux de conscience. Mais
ils mettent également à profit une autre dimension de l'image filmique qui la
distingue du langage verbal. Son caractère analogique la place en effet
d'emblée du côté de l'inconscient, là où résident les représentations de mots,
régis non par une logique causale mais par des relations d'ordre irrationnel et
associatif, les mêmes qui organisent les rêves. On comprend, dans ces conditions, que le nouveau cinéma ait exploré de préférence les solutions expressives qui lui ouvraient les voies de l'imaginaire.

4. UNITÉ/MULTIPLICITÉ

Le langage verbal, construit sur un unique système de signes – les mots – est de
nature monosémiotique. Le cinéma, art composite de nature audiovisuelle,
emprunte à deux matériaux d'expression : l'image et le son. La bande iconique
intègre à la fois l'image et le texte écrit. La bande sonore se divise à son tour en
trois éléments constitutifs : la parole, le bruit, la musique. Ce que le cinéma perd
en précision et en complexité en ne disposant pas de la double articulation
linguistique, il le gagne par sa nature[19] polysémiotique. Et même si le langage
verbal ne peut, sans risque de simplification abusive, être réduit à un code unique

---

18. *In* F. Jost, *Alain Robbe-Grillet, Œuvres cinématographiques, op. cit.*, p. 30.
19. La langue est constituée d'éléments de première articulation dotés de signifiés
(monèmes) qui se combinent en syntagmes ; ces éléments sont décomposables en
unités distinctives de deuxième articulation (phonèmes).

(on sait que d'autres codes y sont présents, même si c'est à l'état de traces), il est loin de posséder la richesse codique du langage cinématographique qui fait, lui, explicitement appel à de nombreux codes et sous-codes qu'il partage le plus souvent avec d'autres modes d'expression. De fait, les seuls codes cinématographiques spécifiques sont les codes kinésiques (de l'image mouvante). L'intégration de codes non spécifiques – codes musicaux, chromatiques, linguistiques, compositionnels, gestuels, narratifs, etc. – fait du langage cinématographique un langage non spécialisé, d'une grande richesse expressive.

4.1 La bande sonore

La sonorisation au cinéma

Le son, au cinéma, n'est pas plus « naturel » que le montage ou les mouvements d'appareil, inventés au fil des années et des recherches. Dans les premiers temps, la projection d'un film était accompagnée d'un musicien (pianiste ou violoniste le plus souvent) qui jouait dans la salle, ou d'un petit orchestre. En 1928, Luis Buñuel projette *Un chien andalou* en alternant sur gramophone *Tristan et Iseult* de Wagner et un tango argentin. La sonorisation, techniquement acquise dès 1912, n'apparaît dans le circuit commercial qu'à la fin des années vingt, retardée par la pesanteur du système et la primauté des intérêts économiques. *Le Chanteur de jazz*, en 1929, marque l'avènement du cinéma parlant. Très vite deux options s'opposent, d'abord de façon polémique. Les uns, subordonnant le son à l'image, y voient un supplément de réel allant dans le sens de la vocation mimétique de la représentation cinématographique. Les autres tentent de développer un discours sonore signifiant et autonome. Déjà en 1928, Eisenstein, Poudovkine et Alexandrov rédigent le *Manifeste contrepoint sonore*, dans lequel ils prônent la contradiction entre son et image d'une part, entre les différents sons d'autre part.

C'est pourtant la première tendance qui l'emportera dans le cinéma dominant, le son étant généralement utilisé pour renforcer l'illusion de réalité. Les sons synchrones[20] sont ainsi privilégiés, élaborant une cohérence rassurante de l'espace et des personnages représentés : à l'image d'une porte qu'on

---

20. Le son synchrone est celui dont la source est visible dans le champ. Voir Michel Chion, *La Voix au cinéma*, éd. de L'Étoile, Paris, 1982, pp. 13-15.

claque correspond le bruit d'un claquement de porte ; les mouvements de lèvres de tel personnage coïncident avec les mots entendus. D'une façon analogue, les sons « acousmatiques[21] » – dont la source n'est pas visualisée à l'image – sont le plus souvent légitimés par l'image : les paroles énoncées par une voix *off* commentent l'image à l'écran ; le bruit d'un train « invisible » se trouve naturalisé par sa représentation iconique dans un plan antérieur ou ultérieur, ou par l'existence d'un hors-champ justifiant sa présence (une gare préalablement montrée, par exemple).

Par ailleurs, le cinéma traditionnel, afin de conjurer le risque d'éclatement discursif induit par l'hétérogénéité de la matière d'expression, procède à une hiérarchisation de ses éléments, accordant la primauté à l'image et lui subordonnant le son. L'effet d'harmonie qui en résulte vise à reproduire l'ordonnancement tranquillisant du monde « réel ».

Le nouveau cinéma se comporte dans ce domaine en héritier du cinéma formaliste des années vingt, dans une constante volonté de construire une réalité autre, qui ne reproduise pas le monde référentiel. Robbe-Grillet commence par remettre en question le postulat d'identité référentielle qui sous-tend la notion de synchronisme dans l'usage dominant – à l'image d'un verre qui tombe correspond un bruit de bris de verre – pour lui substituer un pur rapport de simultanéité *narrative*. La conjonction entre image et son peut alors faire place à un rapport de disjonction, d'où le son, émancipé de sa fonction représentative et ancillaire, conquiert le pouvoir de produire du sens de façon autonome. Cette démarche originale et transgressive a conduit André Gardies à forger de nouveaux concepts et à proposer l'opposition, plus pertinente pour aborder les films de Robbe-Grillet, entre sons « illustratifs » (coïncidence référentielle image/son) et sons « producteurs » (non-coïncidence)[22]. Dans le conflit qu'il instaure entre le réel et le discours narratif, Robbe-Grillet détourne volontiers le signifié sonore de sa vocation réaliste. *L'Homme qui ment* regorge d'exemples de cette pratique subversive : un verre se brise sans provoquer aucun bruit ; un bruit de mitraillette, un coup de fusil ne correspondent à aucune réalité iconique ; les paroles de Boris Varissa (Jean-Louis Trintignant), en voix *off*, évoquent des rues pleines de monde tandis qu'apparaît à l'écran une rue déserte…

---

21. Voir M. Chion, *op. cit.*
22. Voir A. Gardies, *Approche du récit filmique*, Albatros, Paris, 1980, pp. 52 *et sq.*

Moins radicale dans la transgressivité, Marguerite Duras utilise, elle aussi, des procédés de non-coïncidence. Dans *India Song*, l'image montre un couple qui danse ; dans le même temps, un dialogue, dont on comprend qu'il émane du couple, se fait entendre sur la bande son sans pour autant que les lèvres des personnages s'animent. C'est dans ce décalage, cette étroite fissure que se glisse l'étrange.

La voix au cinéma

La voix, dit Michel Chion, est un drôle d'objet. Drôle d'objet parce que difficilement saisissable, difficilement pensable, difficilement théorisable. À travers la voix, c'est toujours le signifiant verbal qu'on cherche à atteindre. Comme si la voix était transparente, simple moyen de faire entendre les mots ; comme si elle n'avait pas de texture propre, de signifié spécifique : « [...] la théorie du cinéma parlant, en tant que parlant, n'a guère été faite. En d'autres termes, ce que l'on écrit, parfois de très pertinent, au sujet de nombreux classiques du parlant, pourrait se dire de la même façon si ces films étaient muets et si les dialogues apparaissaient sur des intertitres[23] ».

La représentation occidentale de l'être humain repose sur l'intégrité et l'homogénéité de sa personne physique[24]. On sait désormais qu'une telle vision, acquise dans la petite enfance, est engendrée par la structuration du sujet dans le langage. Le dualisme originel voix/corps se résout en un monisme réconciliateur. Or le cinéma, comme avant lui le gramophone ou la radio, redivise ce qui était uni, et cela dans son principe même : la bande iconique prend en charge la représentation du corps, la bande son celle de la voix. Cependant, la fonction synecdochique (la partie pour le tout) que le cinéma – tout comme la radio et le gramophone – assigne à la voix réduit à nouveau le dualisme à une unité confortable. C'est bien ainsi que le cinéma dominant unifie la représentation de l'être humain, en « vissant » les voix sur les corps, comme le regrette Marguerite Duras.

Au fond, le cinéma traditionnel utilise la voix comme il utilise un des codes spécifiques fondamentaux du langage cinématographique : le montage.

---

23. *Ibid.*, p. 12.
24. Cette synthèse est faite à partir de l'ouvrage de M. Chion, *op. cit.*

Dans la mesure où il met bout à bout les fragments que constituent les plans tournés, le montage repose sur un principe de rupture et de discontinuité, qu'il s'agit ensuite de masquer par diverses procédures d'homogénéisation fondées sur la notion essentielle de raccord. Assurant la ressemblance entre le monde diégétique et le monde référentiel, l'illusion de continuité est ainsi créée, garante de l'adhésion du spectateur à la fiction.

Alors que le cinéma narratif dominant s'efforce de réduire au maximum les occasions de rupture qu'offre le cinéma par la structure même de son dispositif de production (bande son/bande image, montage, post-synchronisation), la tendance du nouveau cinéma est de les développer, exploitant de cette façon la dimension explicitement artificielle du langage cinématographique, sa vocation à manipuler le réel.

Marguerite Duras, *India Song*. Photographie © Jean Mascolo. Coll. *Les Cahiers du cinéma.*

Dans le domaine de la voix, le *travail* de Marguerite Duras est sans doute l'un des plus novateurs. Les voix qui emplissent, saturent parfois, l'espace sonore de ses films sont presque toujours « en souffrance de corps[25] », leur fonction métonymique de représentation totalisante étant supplantée par leur caractère d'errance. Voix flottantes, qui ne parviennent pas à se fixer sur un corps, qui surgissent toujours séparées de lui, signes d'une unité impossible. Ainsi des voix entremêlées, parfois superposées, chuchotantes, murmurantes, par moments inaudibles, d'*India Song*, chargées de raconter l'histoire, fragmentaire et confuse, d'Anne-Marie Stretter. Ainsi encore de la voix « d'acousmêtre[26] » (celle de Marguerite Duras elle-même) parlant, dans *L'Homme atlantique*, sur une image noire. Le travail sur la voix, c'est également le cri du vice-consul, dans *India Song*, qui troue le silence de sa vaine violence, long cri de bête blessée qui hurle son désir dans ce monde aseptisé des ambassades : « Je ne sais que crier. Qu'ils sachent au moins qu'on peut crier un amour. » Cri sans corps, lui aussi, vers lequel convergent toute la lenteur accumulée, les tensions contenues, la politesse et la douceur, le hiératisme des masques figés dans leur rôle mondain.

La voix acousmatique, émanant d'un espace non visualisé, comme tombant du ciel et emplissant d'un coup le champ sonore, possède d'emblée un pouvoir quasi magique. Au cinéma, une telle voix peut être à tout moment « désacousmatisée », et perdre ainsi son pouvoir d'enchantement ; il suffit pour cela qu'elle « se visse » sur un corps, à la faveur d'un plan qui représente le personnage dans son intégrité physique. C'est ce même pouvoir – fascinant et inquiétant – que Duras conserve à la voix qui ne s'incarne jamais à l'image, l'« impossible mise-en-corps[27] » jetant le doute sur l'unité désirée.

Alain Resnais a de même travaillé sur la voix de façon inventive, en collaboration d'abord avec Marguerite Duras dont il savait le goût pour l'incantation. Le dialogue d'*Hiroshima* s'ouvre sur « *Une voix d'homme, mate et calme, récitative* », à laquelle répond « *Une voix de femme, très voilée, mate également, une voix de* lecture récitative, *sans ponctuation*[28] ». La texture de la voix, son timbre, sa tonalité, ses modulations, sa vitesse, sa cadence et le

---

25. L'expression est de M. Chion.
26. Voix « invisible », dont on ne voit pas le corps dont elle émane. « Acousmatique, dit un vieux dictionnaire, se dit d'un son que l'on entend sans voir la cause dont il provient » (M. Chion, *op. cit.*, p. 26). Le son « synchrone », visualisé, devient « désacousmatisé ».
27. L'expression est de M. Chion.
28. *Hiroshima, mon amour*, Gallimard, coll. « Folio », Paris, 1960, p. 22.

débit des paroles sont autant d'éléments que le nouveau cinéma considère comme des signifiants à part entière. La voix de Delphine Seyrig dans sa pure matérialité – voix chaude et grave, débit lent, modulations inattendues – est indissociable de l'étrangeté sensuelle de *L'Année dernière à Marienbad*.

Un tel travail sur la matérialité de la voix est de toute évidence impossible dans un récit littéraire, fait de la seule substance des mots. Il trouve toutefois une sorte d'équivalence dans la littérature de Robert Pinget, dont le souci premier est, de son propre aveu, la recherche d'un ton : « Choisir à chaque fois, par goût du neuf, un ton entre les milliards qu'a enregistrés l'oreille, voilà mon lot./ Tout ce qu'on peut dire ou signifier ne m'intéresse pas, mais la façon de dire. Et cette façon une fois choisie, c'est là une grande et pénible partie du travail, donc préalable, elle m'imposera et la composition et la matière du discours[29]. » Fasciné par la syntaxe non codifiée du langage parlé « qui épouse les moindres inflexions de la sensibilité », Pinget tente ainsi de restituer, dans chacun de ses récits, l'une des composantes de sa propre voix. Ainsi, à l'image de Pinget lui-même qui comprend « de moins en moins ce qui se passe dans son esprit », le narrateur de *Mahu ou le Matériau*, égaré dans une mémoire défaillante et un monde où il ne trouve pas sa place, annonce avec humour les démêlés qu'il a à la fois avec son récit et avec le monde : « Voilà cette histoire je n'y comprends rien, c'est quelqu'un qui m'a dit : "Tu devrais la raconter", je ne me souviens plus qui, peut-être moi, je mélange tout le monde, c'est vrai des fois dans la rue quand on me présente une personne je fais tellement attention, j'ai la même figure que cette personne et l'ami qui me présente ne sait plus si c'est moi ou l'autre, il me laisse me débrouiller. Au lieu de dire : "Excusez-moi" et de reprendre ma vraie figure j'explique pourquoi je voudrais ressembler aux gens et de nouveau je m'embrouille, le copain se fâche et la personne s'en va en disant qu'elle n'est pas pendue à un crochet, elle a des courses à faire[30]. »

La musique au cinéma

Les signifiants filmiques sont particulièrement riches en « indices de réalité » (C. Metz), de par la nature du dispositif utilisé (reproduction mécanique, tant

29. *Nouveau Roman : hier, aujourd'hui, 2. Pratiques, op. cit.*, pp. 311-312.
30. Éd. de Minuit, Paris, 1952, p. 9.

iconique que sonore). La fonction mimétique qu'a développée le cinéma dominant s'agissant de l'image et du son (paroles, bruits) ne peut toutefois être assignée à la musique, langage totalement fondé sur l'arbitraire des signes : la musique ne « ressemble » à rien qu'à elle-même. Dans ces conditions, il peut sembler paradoxal que la « musique de film », construction purement artificielle qui renvoie à un acte caractérisé d'énonciation, ne soit jamais ressentie, dans le cinéma traditionnel, comme déréalisatrice. À l'origine, la présence de la musique, sous forme d'un musicien ou d'une petite formation, était pourtant destinée – outre à couvrir le bruit du projecteur – à ôter au film une partie de sa puissance de réalité et à rassurer le spectateur[31]. Le paradoxe s'explique par la conventionalisation d'un procédé aussi vieux que le cinéma lui-même, rapidement intériorisé par les spectateurs. À partir de là, la musique, « antiréaliste » par nature, a été développée au cinéma dans le sens d'une normalisation dictée par la normalisation du cinéma lui-même. Faisant fi des apports techniques et de l'évolution musicale au cours du XXe siècle, le cinéma a confiné la musique dans un rôle subalterne et ornemental, dominé par l'ignorance, les préjugés et une idéologie à la fois « réaliste » et complaisante. Subordonnée à l'image, mal connue des réalisateurs, la musique sert le plus souvent une « narrativité euphorique[32] », fondée sur la fonctionnalité du récit et l'illusion référentielle. Ces choix affectent d'une part le type de musique utilisée, d'autre part les rapports qu'elle entretient avec l'image et la narration.

La musique se définit ainsi essentiellement comme mélodie euphonique. Prisonnière de conventions d'origine romantique fondées sur la symétrie harmonique et rythmique, la mélodie se soumet aux exigences d'une prétendue naturalité et aux goûts d'un public qui n'aime rien tant que ce à quoi son oreille est habitué, notamment la musique tonale. S'obstinant dans cette voie peu inventive, les réalisateurs ont eu trop souvent tendance à puiser dans un « stock » musical constitué de fragments dont la notoriété contredit l'idée de surprise, et que leur récurrence d'emploi a tôt fait de transformer

---

31. On sait que lors de la projection *de L'Arrivée d'un train en gare de La Ciotat*, de Louis Lumière, en 1895, une partie des spectateurs s'enfuirent, effrayés, pour éviter le train...
32. Voir F. Vanoye, *Récit écrit - Récit filmique*, CEDIC, Paris, 1979, pp. 199 *et sq.*

en clichés. C'est ainsi que dans les débuts du cinéma s'étaient constitués des recueils imprimés de morceaux de musique (*Les Circonstanciels*), chacun d'entre eux correspondant à une situation déterminée – arrivée du traître, duo d'amour au clair de lune, etc. – et figeant la relation entre image et musique de façon convenue. L'interprétation musicale obéit, elle aussi, tantôt à une volonté de normalisation de l'intensité sonore, qui évite les déséquilibres et les excès ; tantôt à un souci de dramatisation expressive souvent de mauvais goût. On touche là au rapport qu'instaure la musique avec l'image. Généralement illustrative, elle est censée souligner l'émotion née de la situation diégétique figurée par l'image : mélodie au violon sur une étreinte passionnée ; *La Chevauchée des Walkyries* sur une galopade offensive. Mise au service de l'expressivité iconique, redondante par rapport à l'image avec laquelle elle joue en consonance, la musique, affublée d'une « signification naturelle » (tristesse des violons) qu'elle n'a acquise que par convention et habitude culturelle, se voit alors privée d'autonomie discursive.

Une telle exigence de naturalisation explique par ailleurs le préjugé – courant dans le cinéma classique – selon lequel, au cinéma, la musique ne doit pas s'entendre. Comprenons par là que, s'alignant sur une énonciation délibérément « transparente », qui camoufle sa présence pour mieux créer l'illusion référentielle, la musique, se coulant dans le flux du discours filmique, doit, dans sa discrétion, permettre une adhésion accrue à la fiction, évitant ruptures et mises à distance.

Le nouveau cinéma prend le contrepied de cette utilisation convenue de la musique. Godard et Resnais en font un usage novateur, de même que Marguerite Duras qui écrit son film *Son nom de Venise dans Calcutta désert* à partir de la musique d'*India Song*, dans une démarche tout à fait originale. Toutefois, c'est Robbe-Grillet qui pousse le plus loin l'expérience, en considérant la musique comme un signifiant autonome, susceptible de créer un discours concurrent du discours figuratif. Il s'associe pour cela un compositeur – Michel Fano –, préoccupé par la recherche de nouvelles formes musicales, et qui collabore à la réalisation de la plupart de ses films. De là naissent des productions d'un genre nouveau, dans lesquelles la « partition sonore », acquérant une fonction structurante et signifiante, entre dans un rapport organique avec la bande image. La fécondité d'une telle collaboration tient en partie à une coïncidence d'ordre conceptuel : « [...] si l'on veut bien admettre que le processus musical [...] ne renvoie à aucune réalité cachée qu'il serait chargé d'exprimer, qu'il ne renvoie, en quelque sorte, qu'à lui-même, nous tenons là un premier point d'ancrage à une certaine littérature, à celle de Robbe-Grillet, particulièrement[33] ».

La notion de partition sonore a ceci de nouveau qu'elle englobe tous les sons (mots, bruits, musique) dans un système qui défait toute idée de hiérarchie : « Sur le plan créatif, pourquoi une partition sonore ? Parce que, d'abord, comme dans une partition musicale, aucun élément ne me semble devoir *a priori* être prépondérant ; le travail sonore doit se faire d'une façon quasiment continue, liée, "liquide" si j'ose dire, entre le mot, le bruit et l'élément musical qui seront choisis à un moment donné pour telle et telle raison. Le deuxième point, c'est le système de balises qui est élaboré à partir des motifs sonores. On peut comparer ce système au leitmotiv wagnérien. Il s'agit, en effet, d'accrocher à un certain moment un son à une image et la façon la plus simple de l'accrocher c'est de mettre les deux événements synchrones [...], puis, après, de délier ce son de l'image qui lui a donné naissance et de s'en servir à un certain moment du film où on ne verra pas cet objet, si bien que le son va nous indiquer qu'il y a un retour structurel à un certain moment du film. Ainsi s'établit tout un système d'appels, de mémoires et d'annonces[34]. »

On voit ici combien la fonction assignée à l'élément sonore diverge de la fonction traditionnelle du bruit et de la musique, ouvrant au langage cinématographique un champ de combinaisons d'une infinie variété.

4.2 Création individuelle/création collective

L'opposition globale vérifiée au niveau de la matière de l'expression entre unicité du langage verbal et multiplicité du langage cinématographique se confirme au niveau de l'acte créateur. L'écrivain se trouve seul devant sa

---

33. Michel Fano, *Robbe-Grillet*, Colloque de Cerisy, 1, UGE, coll. « 10/18 », Paris, 1976, p. 175.
34. M. Fano, *in* F. Jost, *Alain Robbe-Grillet, Œuvres cinématographique*s, *op. cit.*, p. 35.

page blanche, entièrement responsable de la façon dont il va la remplir. Seul l'éditeur peut intervenir, après-coup, guidé par des impératifs de vente, pour tenter d'infléchir l'œuvre vers plus de clarté ou plus de séduction : un titre moins sibyllin, tel passage moins hermétique... Le cinéaste, en revanche, est d'entrée de jeu confronté à une pluralité d'interlocuteurs et d'éléments matériels avec lesquels il doit composer.

En amont du tournage se pose le problème de la collaboration avec un scénariste éventuel. C'est le cas d'Alain Resnais, qui choisit de travailler avec des scénaristes écrivains. Une telle mise en concurrence délibérée implique une belle modestie, une rare capacité d'accueillir une **altérité créatrice**. Car la collaboration de Resnais avec Duras, avec Robbe-Grillet ou avec Cayrol se fonde sur un respect mutuel de la personnalité de l'autre. Son goût pour les scénarios écrits pour lui (et non tirés de romans préexistants), par des écrivains qui, de préférence, n'ont pas encore eu d'expérience cinématographique, répond à un besoin de voir les choses se faire, de les voir vivre, au besoin d'inédit et de forces neuves. Il invente avec Marguerite Duras un mode de collaboration tout à fait originale, lui demandant d'écrire, en marge du scénario, la « continuité souterraine » du film, constituée par l'histoire des personnages et des événements que le film ensuite effacera. La collaboration avec Robbe-Grillet se fait avec le même respect et la même complicité. L'entente est telle que l'écrivain déclare que le film (*L'Année dernière à Marienbad*) non seulement a la forme qu'il a voulu lui donner, mais aussi qu'il « réalise » ses indications. Mais le scénario une fois terminé, le reste est affaire du réalisateur, le tournage et le montage se faisant sans le scénariste. Ainsi est préservée la part créatrice de chacun, dont la présence est si sensible dans le film.

Le réalisateur se trouve également confronté aux impératifs économiques de la production. Duras, partageant en cela la position militante de la Nouvelle Vague, prétend faire un cinéma sans moyens, porté par sa seule créativité, et non par les prouesses techniques qu'autorisent les gros budgets. C'est pourtant cette même austérité économique, revendiquée sur le plan à la fois esthétique et idéologique, qui viendra à bout de sa ténacité : « Je me suis dit que ça suffisait comme ça avec mes films en loques, dispersés, sans contrat, perdus, que ce n'était pas la peine de faire carrière de négligence à ce point-là[35]. » Robbe-Grillet, quant à lui, doit à chaque film recommencer la lutte pour trouver un financement. Par ailleurs, le choix esthétique du noir et blanc à une époque où existe la couleur est toujours problématique : « Je m'étais refusé à tourner *L'Homme qui ment* en couleurs et, pour cette raison, on avait diminué le budget du film, mon salaire, etc. ; le film était plus misérable, si vous voulez, mais on m'avait laissé le faire en noir et blanc. Et puis, après, je me suis dit : je ne ferai plus de film, puisqu'ils ne veulent plus du noir et blanc. Jusqu'au moment où j'ai fait, par hasard, un voyage dans le sud de la Tunisie[36]. » Le chromatisme tunisien, composé de bleu (le ciel), de blanc (le sable) et de rouge (la terre), l'incite à imaginer un film organisé par les couleurs et la composition picturale. Cela donnera *L'Eden et après*, tourné en Tunisie en 1971. En somme, Robbe-Grillet refuse de se plier à des exigences extérieures commercialement complaisantes si ce refus implique une quelconque trahison de ses partis pris esthétiques. Il sait en revanche s'y adapter quand un hasard « objectif » lui offre le moyen de les intégrer à un système esthétique, transformant alors la trahison en créativité.

Lors du tournage, le cinéaste doit affronter **trois types de « rencontre »** – les **choses**, les **acteurs**, l'**équipe de techniciens** – qui selon les cas deviennent sources de conflit ou de stimulation créatrice.

Des choses préalablement choisies – espace, décor, costumes, objets… – peuvent parfois surgir des imprévus. Robbe-Grillet raconte[37] que, pendant le tournage de *L'Eden et après* à Bratislava, Catherine Jourdan avait tellement abîmé ses vêtements que le producteur retourna en France pour tenter de retrouver les mêmes, cependant que, sur place, l'habilleuse raccommodait les anciens. Le hasard veut que la fiancée du chef-opérateur, venue sur le tournage pour des raisons personnelles, ressemble tellement à Catherine Jourdan que, disposant bientôt de deux costumes identiques, le cinéaste décide d'intégrer la jeune femme au film, alimentant ainsi le thème du double qui parcourt toute la fiction. Cette exploitation créatrice de l'aléa n'est possible que grâce à une disponibilité d'esprit particulière, favorisée par une évolution personnelle

---

35. *L'Été 80*, Éd. de Minuit, Paris, 1980, p. 8.
36. *In* F. Jost, *Alain Robbe-Grillet, Œuvres cinématographiques, op. cit.*, p. 45.
37. *Ibid.*, p. 42.

vers l'improvisation, ou plutôt l'invention incessante : « Je reproche à *L'Immortelle* d'avoir été créé à un seul stade, celui de l'écriture. Tout le film a été créé au moment où j'ai écrit le découpage plan par plan ; le reste n'a été qu'un exercice consistant à se conformer à ce qui était écrit : tourner ce qu'on avait écrit, monter ce qu'on avait écrit, etc. Tous les stades de fabrication du film ont été des exercices de reproduction du seul stade créateur de l'écriture. [...] Néanmoins cette expérience m'a été bénéfique ; au fur et à mesure des films suivants [...], j'ai réduit la part de l'écriture, j'ai voulu que la création s'étende sur toute la réalisation, que l'écriture, le tournage, le montage, la sonorisation soient toutes des périodes de création, que chacune ne soit pas la reproduction de la précédente, mais, au contraire, une lutte : tourner contre ce qu'on a écrit, monter contre ce qu'on a tourné, etc.[38] » On mesure à quel point la créativité chez Robbe-Grillet procède d'un mouvement éminemment dynamique et vivant, qui sait remettre en question les acquis les plus récents et utiliser les aléas dans une perspective stimulante.

Au-delà des imprévus d'ordre matériel, tout réalisateur doit compter avec **la personnalité des acteurs** dont il s'entoure. Robbe-Grillet en nourrit ses films, laissant à l'acteur **une liberté qui peut devenir créatrice** : « Pour la première fois, dans *L'Homme qui ment*, j'ai pu faire participer l'acteur principal à la création du film, car Trintignant a vraiment un rôle créateur : des scènes étaient quelquefois improvisées par lui, puis réécrites par moi et tournées une seconde fois, en tenant compte de ce qu'il avait voulu faire. [...] Je tourne ce que j'ai prévu, mais l'acteur peut intervenir, car je pourrai éventuellement tirer parti au montage de cet imprévu. Le film devient ainsi une création collective où tous ceux que l'expérience passionne, techniciens comme acteurs, ont le droit d'intervenir, d'innover, de même que le soleil a le droit de se cacher ou de se montrer, la pluie de tomber, etc.[39] » C'est ainsi que Catherine Jourdan, se passionnant tout d'un coup pour le film, le « prend en mains », s'en empare et « devient » le film.

La vie des acteurs et des techniciens pendant le tournage, l'histoire de leurs rapports, de leurs rivalités, de leurs amours, influent de même sur le film qui, perméable à toutes les suggestions, s'organise progressivement comme une

---

38. *Ibid.*, p. 14.
39. *Ibid.*, p. 33.

matière vivante. C'est le cas de *L'Homme qui ment*, dont l'équipe vit des semaines durant dans un hôtel de haute montagne en Slovaquie ; ou encore de *L'Eden et après*, nourri par les intrigues amoureuses et les brouilles passionnées dans son principe même de création : « Toute la scène "Marie-Ève est jalouse, elle fait semblant de faire semblant d'être jalouse, mais personne n'est dupe", c'est une histoire du film. Ainsi, le système générateur de base, cette nécessité de base, a laissé entrer des événements de hasard qui ont nourri de façon rétrospective le système générateur qui a éclaté sous la force du travail et s'est mis à proliférer[40]. »

C'est enfin à la technique – et aux techniciens – qu'un réalisateur est confronté pendant le tournage et le montage. Cette confrontation peut se faire sur le mode de la connivence féconde ou sur celui du conflit contraignant. La technique, adjuvante de la réalisation, est censée se mettre au service du projet à réaliser. Toutefois, construire un décor, manipuler une caméra ou monter un film ne sont pas des opérations mécaniques. La personnalité et les compétences du technicien laissent sur le film une **empreinte** plus ou moins marquée, **qui échappe à la maîtrise du réalisateur**. On peut dire également que le réalisateur récupère – partiellement – cette maîtrise par anticipation, en choisissant ses techniciens. Il s'agit là, dans tous les cas, d'une collaboration globalement « euphorique », d'un travail « en consonance », supervisé et dirigé par l'« auteur » du film. Resnais, dans sa « douceur terrible » (Doniol-Valcroze), procède ainsi, par vampirisation, faisant jaillir de chacun ce qu'il peut donner de mieux, puis se l'appropriant.

L'histoire des rapports de Robbe-Grillet avec les techniciens est autre, plus « dysphorique », la dimension expérimentale de ses recherches heurtant de front la rhétorique en vigueur. Car la technique s'appuie toujours sur des principes normatifs et des présupposés idéologiques qui sont ceux de l'Institution. C'est alors que le monde du cinéma, avec ses pesanteurs et sa frileuse rationalité, entre en conflit avec le monde de Robbe-Grillet, confié aux pouvoirs de l'imaginaire. Son premier film, *L'Immortelle*, se ressent de ce conflit. « Piégé par la technique », il ne parvient pas à empêcher totalement les affadissements provoqués par la manie orthonymique de tout ramener au « déjà dit » en neutralisant la part de l'étrange et de l'incongru. Témoin ce différend –

---

40. *Ibid.*, p. 38.

résolu à son avantage – qui l'oppose aux techniciens à propos des « raccords de plans entre un personnage arrêté et le même personnage en mouvement dans le même décor ; il ne faisait aucun geste indiquant qu'il allait se mettre en mouvement, puis on montrait plan à plan le personnage en train de marcher et de quitter la pièce [...] sans qu'on ait vu les sacro-saints passages, dans le cinéma traditionnel, entre mouvement et arrêt. Cela donnait lieu à des discussions incroyables avec la script qui veillait justement aux raccords[41] ». Pour avoir la paix, il tournait le raccord, puis le coupait au montage...

Le film, comme création collective, liée qui plus est à l'industrie, subit des pressions et des contraintes beaucoup plus nombreuses et diverses que le roman. Exposé à de multiples aléas, marqué par de multiples personnalités, il est difficile à maîtriser dans sa totalité. Mais ce que le réalisateur perd en maîtrise, il peut le regagner en stimulation, en suggestions de tous ordres, en dynamisme créateur.

Conclusion

Le langage littéraire et le langage cinématographique possèdent chacun des spécificités dues à la nature de leur matière d'expression. Toutefois, la confrontation de ces spécificités et l'examen – trop rapide – de la façon dont Nouveaux Romanciers et nouveaux cinéastes les utilisent ou agissent sur elles tendent à prouver leur volonté de faire bouger les codes propres à chaque mode d'expression, d'entrer en conflit avec les systèmes normatifs, de faire jaillir de nouvelles formes investies de sens nouveau, de refuser l'ankylose du déjà dit et du prêt-à-penser.

Art de la temporalité, le Roman Nouveau tente de figer le temps en le projetant dans l'espace ; art de l'intériorité, il se plaît à limiter son appréhension du monde à une vision toute extérieure. Le film, de son côté, part en guerre contre les diktats du cinéma dominant. En usant « à contre-emploi », il développe ce dont la pratique traditionnelle s'est détournée : sa dimension magique, sa vocation à reconstruire le réel, et non à l'imiter. L'écran se peuple d'images et de sons renvoyant à des univers (mémoire, fantasme, rêve...) que le cinéma, disait-on, était peu apte à représenter.

---

41. *Ibid.*, p. 15.

Cette constante transgression des codes qu'opèrent écrivains et cinéastes dans une même et inlassable recherche de renouvellement des formes, en réduisant les écarts qui séparent les deux modes d'expression, provoque un brouillage des frontières génériques. Ils ébranlent ainsi l'édifice rassurant de la catégorisation en genres normalisés et, ouverts aux vastes champs des possibles et des transformations, font de leur art un art du questionnement.

UNE ESTHÉTIQUE NOUVELLE

Il n'est pas question, dans ce chapitre, d'englober tous les tenants du Nouveau Roman et du nouveau cinéma – dont la liste est déjà sujette à caution – dans une esthétique commune en les embrigadant sous la bannière commode et simplificatrice d'une étiquette. Il s'agit plutôt de définir de grandes tendances dans lesquelles s'inscrivent, à des degrés divers, leur pratique d'écriture, qu'elle soit romanesque ou cinématographique.

1. VERS L'AUTORÉFÉRENTIALITÉ DE LA FICTION

1.1 La mise en question de la représentation

L'épistémologie positiviste s'est effondrée, les vieilles croyances anthropomorphistes se sont effritées, la suspicion est jetée sur la notion de réalité. Les systèmes traditionnels de la représentation, fondés sur une conception dualiste d'un monde constitué d'une apparence et d'une essence – conception d'origine platonicienne – contraignaient l'écrivain à traverser les apparences pour faire surgir une vérité d'ordre psychologique, moral ou métaphysique. Ce que Robbe-Grillet appelle « les vieux mythes de la profondeur[1] ». Le monde extérieur, ordonné, complice et signifiant, que le roman traditionnel était chargé de représenter, apparaît désormais comme une illusion rassurante, un trompe-l'œil destiné à préserver à l'homme sa maîtrise. C'est cette fonction représentative de la littérature et du cinéma que Nouveaux Romanciers et nouveaux cinéastes contestent, s'attaquant aux fondements mêmes de l'expression littéraire et cinématographique : « […] pour donner au lecteur l'impression que ce qu'il lit est la réalité même, il faut établir une conformité entre la fiction et *le mythe que le lecteur se fait de la réalité[2]*. » Pour purger la fiction de cette réalité mythique, il faut détruire l'illusion référentielle, autre-

---

1. Voir *Pour un Nouveau Roman, op. cit.*, pp. 45 *et sq.*
2. J. Ricardou, dans *Nouveau Roman : hier, aujourd'hui, 1., op. cit.*, p. 376.

ment dit le lien mimétique conventionnellement établi entre la chose énoncée et son référent. Il ne s'agit pas, bien entendu, d'expulser le référent de la fiction. La tâche est inconcevable, la fiction ne pouvant s'élaborer qu'à partir de morceaux de réalité – concrète ou imaginaire – qui constituent l'expérience vécue. Les Nouveaux Romanciers le reconnaissent eux-mêmes, constatant la persistance du référent dans nombre de leurs œuvres. Et de citer[3] l'exemple de *La Route des Flandres* où l'illusion représentative est si forte qu'elle suscita la réaction d'un vieil officier de cavalerie, étonné de trouver dans certains épisodes du roman de Claude Simon une coïncidence exacte avec ce qu'il avait lui-même vécu. Le référent existe toujours ; il a davantage de poids chez les uns – Simon ou Duras – que chez les autres – Pinget ou Beckett. En fin de compte, il s'agit moins de faire disparaître le référent que de lui assigner une fonction autre. C'est ainsi que certains épisodes des *Géorgiques* – sur la guerre d'Espagne, par exemple –, sans perdre totalement leur fonction référentielle, n'acquièrent leur véritable signification que dans le rapport qu'ils entretiennent avec d'autres éléments du système textuel. Comme l'explique Jean Ricardou, « tout événement fictif est un lieu paradoxal, résultante mobile de deux dimensions contradictoires : la dimension référentielle, la dimension littérale[4] ». La première joue sur la fascination de la ressemblance entre fiction et monde vécu ; la seconde sur la pure matérialité du texte. Le Nouveau Roman exploite cette tension, avec des dosages différents selon les cas, alors que la lecture traditionnelle privilégie la dimension référentielle.

Dès 1955, Barthes dénonçait le postulat idéologique que supposait une telle lecture : « [...] nous sommes ici victimes, une fois de plus, de ce préjugé qui nous fait attribuer au roman une essence, celle même du réel, de notre réel ; nous concevons toujours l'imaginaire comme un symbole du réel, nous voulons voir dans l'art une litote de la nature. Dans le cas de Robbe-Grillet, combien de critiques ont ainsi renoncé à la littéralité aveuglante de l'œuvre, pour essayer d'introduire dans cet univers dont tout indique pourtant la complétude implacable un surcroît d'âme et de mal, alors que précisément la technique de Robbe-Grillet est une protestation radicale contre l'ineffable[5]. »

---

3. *Ibid.*, p. 29.
4. *Ibid.,* p. 30.
5. *Essais critiques*, Seuil, coll. « Points », Paris, 1964, p. 67.

Au cinéma, la prégnance des images et des sons impose d'emblée la dimension référentielle. C'est précisément cette présence obstinée du monde réel que Robbe-Grillet fait entrer dans un rapport contradictoire et problématique avec le système textuel de ses films. La démarche d'Alain Resnais est comparable : *Hiroshima, mon amour* intègre des images documentaires de la ville en ruines, témoignant d'un passé référentiel, dans un montage iconique et sonore complexe qui en démonte au bout du compte les effets lénifiants. Plus que par la spectacularité anesthésiante des images du bombardement, « la désintégration atomique se dit par la désintégration du récit et surtout par une écriture de la fragmentation[6] ».

« Le texte devient le lieu où le monde a lieu » : la formule de Blanchot souligne le renversement qu'opère la modernité en matière de littérature. Le texte n'est plus chargé de représenter un monde qui lui préexiste, mais bien de créer un monde autonome, autosuffisant, valant par et pour lui-même. La fiction ne renvoyant plus qu'à elle-même, le référent perd de sa puissance, l'œuvre de son pouvoir représentatif. De là le travail formel considérable accompli par le Nouveau Roman et le nouveau cinéma et la prépondérance accordée à l'écriture. De là également cette « idéologie du jeu » que Robbe-Grillet oppose au « sérieux » de la littérature essentialiste, et qui, loin de mettre l'écrivain « à l'abri du monde », transforme l'un et l'autre par son pouvoir d'invention.

L'effacement de la dimension référentielle passe par la mise en place de nouvelles procédures « non représentatives » qui, battant en brèche la croyance selon laquelle le roman ou le cinéma « c'est la vie », affichent la matérialité du texte, le donnant pour ce qu'il est : un produit de l'imaginaire, élaboré à partir d'un travail – un travail qui produit de l'imaginaire, dirait Robbe-Grillet : « Si vous êtes constamment arrêté dans votre lecture, presque matériellement, si le texte même, les mots, la page apparaissent tout en exigeant une espèce d'attention pour un certain ordre qui a eu lieu, vous assistez à des procédures de non-représentation[7]. »

---

6. J.-L. Leutrat, *Hiroshima, mon amour, Alain Resnais, Étude critique*, Nathan, coll. « Synopsis », Paris, 1994, p. 77.
7. J. Ricardou, *Nouveau Roman : hier, aujourd'hui, 1.*, *op. cit.*, p. 386.

Du même coup, l'intérêt se déplace du contenu de la narration vers l'acte même de la narration, du *quoi* vers le *comment*. Ce qui explique la fameuse formule de Ricardou pour qui « l'écriture d'une aventure » devient, dans la modernité, « l'aventure d'une écriture ». Comme le rappelle la phrase de Flaubert insérée dans *Le Jardin des Plantes* : « Ceux qui lisent un livre pour savoir si la baronne épousera le comte seront dupés[8]. » Non que les Nouveaux Romans ne contiennent quantité d'événements, de péripéties, d'« histoires » ; « ce n'est pas l'anecdote qui fait défaut, explique Robbe-Grillet, c'est seulement son caractère de certitude, sa tranquillité, son innocence[9] ».

1.2 Une nouvelle conception du réel

Convaincus du caractère obsolète de la notion de réalisme à une époque où les présupposés épistémologiques n'ont plus grand-chose à voir avec ceux qui informaient la pensée du XIXᵉ siècle, le Nouveau Roman et le nouveau cinéma tentent de s'en libérer, mais au nom d'une autre conception du réel, capable de rendre compte d'un rapport moderne de l'homme au monde. Dans la mesure où ce rapport est ressenti comme problématique, le monde lui-même comme incertain, étrange, insaisissable, l'œuvre ne peut que se faire l'écho de cette complexité égarante. Les Nouveaux Romanciers ne dénoncent pas en soi l'esthétique réaliste du siècle dernier, en parfaite conformité avec la société qui la produisait. Ce qu'ils dénoncent, c'est la persistance d'une esthétique romanesque correspondant à un système idéologique en porte-à-faux avec une société et un savoir qui se sont modifiés : « Lorsque une forme d'écriture a perdu sa vitalité première, sa force, sa violence, lorsqu'elle est devenue une vulgaire recette, un académisme que les suiveurs ne respectent plus que par routine ou paresse, sans même se poser de questions sur sa nécessité, c'est bien un retour au réel que constitue la mise en accusation des formules mortes et la recherche de formes nouvelles, capables de prendre la relève[10]. » C'est parce que « l'art est vie » qu'il est constante recherche, « remise en question permanente ».

---

8. *Op. cit.*, p. 53.
9. *Pour un Nouveau Roman*, *op. cit.*, p. 32.
10. A. Robbe-Grillet, *Pour un Nouveau Roman*, *op. cit.*, p. 136.

Il s'agit donc bien, pour le Nouveau Roman, de créer un nouveau réel, différent du « réalisme » et de ses conventions périmées. Quoi de plus réel, en effet, que le monde de la « sous-conversation » qui anime les romans de Nathalie Sarraute, fait des mouvements psychiques imperceptibles et élémentaires – *les tropismes* – lieux complexes de tensions et de passions, qui, occultés par le conformisme du jeu social, dictent les comportements ? Ainsi, dans *Le Planétarium*, les sentiments de la tante Berthe subissent-ils des variations aussi fortes que rapides envers son frère, sans jamais être explicités : « Elle a eu envie de le cajoler comme autrefois, de se serrer contre lui./ Mais dès qu'elle est restée seule, l'image, un instant effacée, a reparu, le bon frère si affectueux s'est métamorphosé de nouveau : il était en train de se dépêcher, sûrement... Avant qu'il n'ait atteint la porte cochère, toute trace de son attendrissement de tout à l'heure a disparu – le sillage que laissent en nous ces sortes de mouvements s'efface souvent très vite dès que nous nous retrouvons seuls – il était en train de courir là-bas pour leur raconter, il est si léger, vacillant, oscillant à tous les vents...[11] » Claude Simon, dans *L'Herbe*, oppose deux conceptions de la réalité, dénonçant la fausseté de la réalité conventionnellement « littéraire » : « [...] de sorte que ses propres paroles et elle-même [...] semblaient participer de cette même irréalité, sans doute parce que le propre de la réalité est de nous paraître irréelle, incohérente, du fait qu'elle se présente comme un perpétuel défi à la logique, au bon sens, du moins tels que nous avons pris l'habitude de les voir régner dans les livres – à cause de la façon dont sont ordonnés les mots, symboles graphiques ou sonores de choses, de sentiments, de passions désordonnées –, si bien que naturellement il nous arrive parfois de nous demander laquelle de ces deux réalités est la vraie » (pp. 99-100).

Michel Butor, de son côté, s'insurgeant contre l'identification du réel au visible, revendique une conception de la réalité dans laquelle la musique a sa place : « Le son étant dès l'origine avertissement, signe, toute conception du réel qui l'intègre abolit forcément toute différence absolue entre nature et langage, donc entre matière et pensée ; tout alors est toujours susceptible, passible d'interprétation, rien n'est plus à l'abri de la lumière ou de l'intelli-

---

11. Gallimard, coll. « Folio », Paris, 1959, p. 178.

gence./ C'est pourquoi je déclare la musique un art réaliste, qu'elle nous enseigne, même dans ses formes les plus hautaines, les plus détachées apparemment de tout, quelque chose sur le monde, que la grammaire musicale est une grammaire du réel, que les chants transforment la vie[12]. »

Quant à Robbe-Grillet, il oppose de façon radicale le réel et le réalisme. Arguant de la formule lacanienne selon laquelle « le réel, c'est l'inacceptable », il distingue le monde de la familiarité naturelle – celui du réalisme –, fondé sur des principes de continuité, de causalité, d'explicabilité ; et le monde de la réalité, fondamentalement étrange, dont l'épiphanie inquiétante dissout tout sens et toute certitude : « Et puis, brusquement, à certains moments, c'est comme si tout cela s'écroulait, comme si le sens qui nous semblait si familier, n'était plus, au contraire, qu'une construction purement sociale qui, tout d'un coup, perdrait son existence. C'est à ce moment-là que les choses me frappent par leur réalité. [...] Le réel, c'est ce contre quoi je butte, c'est le moment où le monde semble tout à coup perdre son sens et acquérir du même coup une présence beaucoup plus forte[13]. » La ville d'Istanbul, dans *L'Immortelle*, devient par son étrangeté même une ville *réelle*, c'est-à-dire *non réaliste*.

Ce caractère truqué de l'entreprise réaliste, Barthes la dénoncera à son tour, partant du fait que la notion de copie, sur quoi elle repose, est foncièrement irréaliste : « [...] qu'est-ce que le *réel* ? On ne le connaît jamais que sous forme d'effets (monde physique), de fonctions (monde social) ou de fantasmes (monde culturel) ; bref, le *réel* n'est jamais lui-même qu'une inférence...[14] » ; constatant ensuite qu'elle se construit toujours sur une réfraction du réel à travers le langage : « [...] la littérature est fondamentalement, constitutivement irréaliste ; la littérature, c'est l'irréel même ; ou plus exactement, bien loin d'être une copie analogique du réel, *la littérature est au contraire la conscience même de l'irréel du langage* : la littérature la plus "vraie", c'est celle qui se sait la plus irréelle, dans la mesure où elle se sait essentiellement langage...[15] » Les affinités conceptuelles avec le Nouveau Roman sont

---

12. *Répertoire II*, Éd. de Minuit, Paris, 1964, p. 28.
13. *In* F. Jost, *Alain Robbe-Grillet, Œuvres cinématographiques, op. cit.*, p. 19.
14. *Essais critiques*, Seuil, Paris, 1964, pp. 163-164 ; *Tel Quel*, 1961.
15. *Ibid.*, p. 164.

claires : c'est bien avant tout à la connaissance du langage que vise le nouveau réalisme promu par les écrivains.

Toute illusion référentielle, toute structure représentative ne sont pas pour autant bannies des Nouveaux Romans, ni des films qui appartiennent à la même mouvance. *Le Passage de Milan* ou *La Modification*, de Michel Butor, en sont la preuve ; mais aussi *Hiroshima* ou *Trans-Europ-Express*. D'ailleurs, la présence de la réalité sous une forme identifiable comme familière semble être une garantie de communication sans laquelle l'œuvre, réduite à un imaginaire idiolectal, risque de basculer dans le solipsisme hermétique. Dans son évolution même, le Nouveau Roman, d'abord en lutte contre un modèle représentatif tenace, tend ensuite à s'en délivrer en jouant sur les tensions qu'il provoque, en en dénaturant la fonction, en le transformant en éléments d'un système textuel autarcique.

2. STRUCTURES D'AGRESSION

Le récit ainsi conçu perd les bases solides sur lesquelles il s'édifiait, et du même coup son innocence. Revendiquant son statut de production imaginaire, renonçant au mirage représentatif, il conteste les différentes illusions qui garantissaient sa soi-disant naturalité : l'illusion référentielle (relation mimétique entre récit et monde réel), l'illusion de la continuité (unité et homogénéité d'un monde construit selon les principes logiques de causalité et de non-contradiction), l'illusion de la transparence (le récit semble « aller de soi », le travail du texte est occulté). L'intrigue est détrônée au profit du mouvement même de l'écriture, qui devient l'enjeu de l'acte créateur.

Au récit linéaire, régi par une continuité causale, à la transcription chronologique des événements, à leur archivation et à leur hiérarchisation en fonction de présupposés idéologiques les Nouveaux Romanciers et les nouveaux cinéastes substituent un récit discontinu, fragmentaire, éclaté, en conformité avec leur appréhension du monde. Au niveau macrostructural, les procédures d'agression, mettant peu en jeu la matière même de l'expression, se retrouvent de façon à peu près identique dans les romans et dans les films. Les procédures microstructurales sont en revanche plus spécifiques de chaque médium.

2.1 La répétition

Le principe d'efficacité narrative, fondé sur la progression de l'action, cède le pas à des stratégies d'enlisement, qui contredisent l'avancée attendue de l'intrigue. Tous les procédés liés à la répétition, obligeant le texte à revenir sur lui-même, produisent ainsi un piétinement du récit, voire une régression, qui semblent menacer son devenir. Circularité, effets de symétrie, jeux de variantes, leitmotive, mises en abyme se donnent comme autant de configurations structurelles qui, détournant l'attention de l'anecdote, l'attirent sur le fonctionnement du texte lui-même. *Passacaille*, de Robert Pinget, entièrement construit sur une structure répétitive, multiplie les reprises d'une même scène, sorte de « variantes sur un cadavre » suscitant cette « fascination des possibles » dont parle Pinget. La séquence fondatrice du « facteur trouvé mort sur son fumier » engendre une prolifération étoilée de variations, qui ouvre sur une infinité de sens et de combinaisons fictionnelles. La présence de leitmotive (« Le calme. Le gris », « Images à débarrasser de leurs scories », « Que faire de ces bribes »…) rompt constamment la linéarité discursive et, perturbant la narration, met l'accent sur le travail du texte. *L'Homme qui ment*, de Robbe-Grillet, structuré sur le thème du double, multiplie les répétitions et les variantes[16], portant atteinte à la fois à l'avancée du récit et à sa crédibilité. La plupart des séquences y sont en effet reprises, dans une version différente. Selon la version racontée, l'épisode de l'évasion (*variante*) présente Boris comme un héros salvateur ou comme un traître. Il en va de même des deux séquences de la pharmacienne (*similante*), dont l'une atteste sa complicité, l'autre sa trahison. Dans les deux cas, les deux séquences revendiquant le même statut de réalité et le texte ne prenant jamais parti, c'est un discours contradictoire – et jamais résolu – qui émerge, agressant le récit dans une de ses dimensions logiques les plus fondamentales. La circularité du film, qui finit comme il commence, par la phrase inlassablement répétée de

---

16. Pour affiner l'analyse, voir J. Ricardou, *Le Nouveau Roman*, Seuil, coll. « Écrivains de toujours », Paris, 1973, p. 76. Il distingue la « variante » de la « similante ». Dans un cas, « l'Autre travaille le Même », les séquences largement ressemblantes étant affectées de légères différences ; dans l'autre, « le Même travaille l'Autre », les séquences, globalement différentes, se ressemblant par de menus détails.

Boris, « je vais vous raconter mon histoire », témoigne avant tout de la composition concertée du récit. Dans *La Jalousie*, du même Robbe-Grillet, la description d'un mille-pattes qu'on écrase, soumise à de subtiles modulations, ponctue le récit avec le même acharnement que met le narrateur jaloux à épier sa femme et à échafauder des hypothèses. La fin du roman propose en outre un modèle de contradiction non résolue – dont la construction parataxique souligne le scandale –, métaphorique de tout le récit : « Le personnage principal du livre (dont parlent la femme et le présumé amant) est un fonctionnaire des douanes. Le personnage n'est pas un fonctionnaire, mais un employé supérieur d'une vieille compagnie commerciale. Les affaires de cette compagnie sont mauvaises, elles évoluent rapidement vers l'escroquerie. Les affaires de la compagnie sont très bonnes. Le personnage principal – apprend-on – est malhonnête. Il est honnête, il essaie de rétablir une situation compromise par son prédécesseur, mort dans un accident de voiture. Mais il n'a pas eu de prédécesseur, car la compagnie est de fondation toute récente ; et ce n'était pas un accident. Il est d'ailleurs question d'un navire (un grand navire blanc) et non de voiture » (p. 216).

Comme l'avoue Robert Pinget : « C'est que le peu de chose que j'essaie de vous dire n'a de valeur qu'ouvrant la voie à une formulation contraire ». De là les lettres toujours recommencées, toujours modifiées, jamais envoyées, ressassant inlassablement les mêmes menus événements de la vie du village, que Levert écrit à son fils parti voici dix ans, dans *Le Fiston*. Ou encore les difficultés de Latirail (*Mahu ou le Matériau*) aux prises avec un récit qui, se minant de l'intérieur, ne cesse de se reprendre, de bifurquer, de se diviser en séries parallèles, où le réel a tôt fait de se dissoudre. Ressassement, reprises, transformations, à l'intérieur d'un récit ou d'un récit à l'autre, apparaissent de même comme une composante essentielle de l'œuvre de Marguerite Duras et de celle de Claude Simon.

L'Année dernière à Marienbad est un autre exemple d'organisation narrative fondée sur la répétition, la symétrie, la circularité et la contradiction. Jean Ricardou, dans son analyse du film, montre que toutes les choses sont pourvues de leurs « caractères antinomiques » : « Le début et la fin [...] tendent donc l'un vers l'autre de deux manières. Directement, par leur similitude ; indirectement, par leur inversion porteuse d'une procédure d'identification

Alain Resnais, *L'Année dernière à Marienbad*. Photographie coll. CAT'S.

plus générale. De la pierre qui se fait végétale au début se rapproche, à la fin, un jardin qui se minéralise. Il suffit maintenant de relire Héraclite : "Dans la circonférence d'un cercle, le commencement et la fin se confondent."[17] »

Les mécanismes de répétition se retrouvent au niveau de la microstructure dans la reprise de mots ou de phrases (les « voyez-vous » ou les « elle dit » de Marguerite Duras), reprise textuelle ou avec variantes (homonymie, synonymie, polysémie). Au cinéma, le retour de plans identiques ou analogues est un procédé largement exploité par Resnais, Robbe-Grillet ou Duras. Dans une perspective similaire, Duras joue sur la durée anormale des plans et sur leur fixité pour conférer à ses films une lenteur étrange et un pouvoir hypnotique. Persévérance du Même qui enlise le récit de façon à la fois fascinante et perturbante.

---

17. *Le Nouveau Roman*, *op. cit.*, pp. 63-65.

La mise en abyme[18], procédé pictural et littéraire déjà à l'honneur dans l'esthétique baroque, est largement exploitée par le Nouveau Roman et le nouveau cinéma. Jean Ricardou lui assigne deux fonctions : une fonction de révélation, une fonction de contestation. Révélation, dans la mesure où, réfractant la fiction, elle l'éclaire selon une autre perspective ; contestation, car le mouvement d'autoréflexivité qu'elle implique, faisant se replier le texte sur lui-même, suspend l'avancée de l'action, brise l'unité du récit et souligne le travail du texte, sa littéralité. Dans *L'Herbe*[19], le texte instaure une analogie entre le couvercle d'une vieille boîte qui reproduit indéfiniment l'image en réduction d'une jeune femme et d'un chien, et « l'idée de cette répétition sans fin et dont la perception échappe aux sens, à la vue, précipitant l'esprit dans une sorte de vertigineuse angoisse ». Dans *La Jalousie*, c'est la description d'un chant indigène qui, dans un processus de condensation, met métaphoriquement en lumière les lois internes de l'organisation du récit, superposant une fonction spéculaire à sa fonction diégétique : « Si parfois les thèmes s'estompent, c'est pour revenir un peu plus tard, affermis, à peu de chose près identiques. Cependant ces répétitions, ces infimes variantes, ces coupures, ces retours en arrière, peuvent donner lieu à des modifications – bien qu'à peine sensibles – entraînant à la longue fort loin du point de départ[20]. » À propos de *La Mise en scène*, de Claude Ollier, Jean Ricardou[21] voit dans la gravure rupestre découverte par Lassalle une mise en abyme « révélatrice » du meurtre qui est au centre de la fiction. D'une façon analogue, le « Vitrail de Caïn », dans *L'Emploi du temps* de Michel Butor, se présente comme un lieu de saturation des effets de sens, chaque détail déployant un spectre d'associations relayées par d'autres éléments textuels.

Le spectacle théâtral qui ouvre et clôt *L'Année dernière à Marienbad* en est un autre exemple, de même que le segment du « Codex[22] » dans *L'Homme qui ment*, les photos qui constituent le recueil renvoyant en fait à l'organisation narrative du film et à son fonctionnement interne.

---

18. Lucien Dällenbach, dans *Le Récit spéculaire*, Seuil, coll. « Poétique », Paris, 1977, en donne la définition suivante : « Est *mise en abyme* tout miroir interne réfléchissant l'ensemble du récit par réduplication simple, répétée ou spécieuse. »
19. Éd. de Minuit, Paris, 1958, pp. 184-185.
20. A. Robbe-Grillet, *op. cit.*, p. 101.
21. *Le Nouveau Roman, op. cit.*, p. 51 *et sq.*
22. Pour l'analyse détaillée, voir A. Gardies, *Approche du récit filmique, op. cit.*, pp. 80-83.

2.2 Le fragmentaire et l'hétérogène

La continuité logique – fondée sur la confusion entre consécution et conséquence – qui préside à la narration classique est volontiers mise à mal et remplacée par des stratégies de dislocation. Le mécanisme de répétition, par la perturbation qu'il introduit dans la linéarité narrative en imposant au récit un enlisement réflexif, s'inscrit déjà dans une rhétorique de la discontinuité. Ce qui, toutefois, porte atteinte de façon frontale et scandaleuse à la fluidité narrative, c'est l'absence de transition ménagée entre deux segments hétérogènes. Le récit dominant, qu'il soit littéraire ou filmique, prend soin de lier entre eux les différents moments de la narration afin de donner l'illusion d'une continuité sans faille. De là l'emploi de figures elliptiques du genre « huit ans plus tard », « la veille au soir », « pendant ce temps », destinés à combler le hiatus temporel ou spatial qui, passé sous silence, risquerait de compromettre la lisibilité du récit. Il s'agit là de la question du « raccord ». Au raccord de type logique, le Nouveau Roman et le nouveau cinéma préfèrent le raccord de type analogique, qui substitue la similitude à la causalité, obligeant le lecteur à une activité de mémoire et de déchiffrement qui lui permette de rétablir des liens implicites et de réduire les effets de rupture. Les récits de Claude Simon, par exemple, sont soumis dans l'ensemble au fonctionnement analogique. Ceux de Robbe-Grillet y recourent également. Dans ce passage de *La Jalousie*, le hiatus qui sépare les deux paragraphes est comblé *a posteriori* par une analogie auditive :

> « Mais la moustiquaire retombe, tout autour du lit, interposant le voile opaque de ses mailles innombrables, où des pièces rectangulaires renforcent les endroits déchirés.
> « Dans sa hâte d'arriver au but, Franck accélère encore l'allure. »

Survient l'accident, l'incendie qui s'ensuit et l'analogie (crépitement du feu/bruit du mille-pattes) qui renvoie à l'espace de la chambre où Franck a écrasé la scutigère :

> « Aussitôt des flammes jaillissent. Toute la brousse en est illuminée, dans le crépitement de l'incendie qui se propage. C'est le bruit que fait le mille-pattes, de nouveau immobile sur le mur, en plein milieu du panneau » (pp. 166-167).

Le jeu analogique opère la suture entre les deux espaces hétérogènes (la chambre/le lieu de l'accident), sans pour autant que l'effet de rupture soit totalement annulé.

Dans d'autres cas, c'est le passage entre deux segments appartenant à des niveaux de réalité distincts qui s'opère sans transition, dans la continuité du flux discursif, brouillant les frontières, faisant vaciller les repères. Dans *Triptyque*, trois réalités – livresque, filmique, plastique – se mêlent ainsi constamment. *Dans le Labyrinthe* juxtapose la réalité représentée d'une photographie de soldat et la réalité du soldat de la fiction.

De même que *Moderato cantabile* annule les enchaînements logiques et introduit la discontinuité en supprimant toute motivation à l'apparition des différents fragments narratifs, *Malone meurt*, de Beckett, multiplie les ruptures dans l'organisation globale du récit par l'hétérogénéité qui affecte à la fois les niveaux narratifs (diégétique/métadiégétique), les types de narration (ultérieure, antérieure, simultanée, intercalée), l'énonciation (première personne/troisième personne). L'absence de lien causal entre les différentes séquences et la promotion corrélative d'un ordre digressif et associatif sapent la cohérence d'un récit qui apparaît dès lors comme capricieux et désordonné. Le raccord métanarratif qui ouvre la phrase suivante souligne avec humour cet apparent désordre de la narration : « Mais pour passer maintenant à un autre ordre de considérations, il est peut-être loisible de souhaiter à Macmann, puisque souhaiter ne coûte rien, éventuellement une paralysie généralisée…[23] »

Dans le cinéma traditionnel, la discontinuité, inhérente au montage, est soigneusement camouflée par le jeu des raccords (raccords sur le regard, raccords dans le mouvement, effets de ponctuation divers – fondus, surimpression, etc.). Resnais ou Robbe-Grillet, en refusant de gommer les effets de rupture, prennent au contraire le parti d'un montage « qui se voit », désignant du même coup la matérialité du texte. *L'Année dernière à Marienbad* juxtapose des segments interchangeables dont la réalité, à la fois suspecte et jamais démentie, renvoie au bout du compte à la seule réalité textuelle. *Trans-Europ-Express* organise la narration selon le principe bien peu causal du conflit des discours, laissant apparaître dans les nombreuses contradictions qui jalonnent

---

23. Éd. de Minuit, Paris, 1951, p. 134.

la fiction une incohérence déstabilisante. Jean (incarné par Robbe-Grillet) invente un film, dont Trintignant est le héros. Mais au fil des séquences, le pouvoir narratif de Jean, soucieux de cohérence, de continuité, de raccords, bref, de vraisemblance, se voit supplanté par celui de son personnage qui, préoccupé par une autre histoire – la sienne, beaucoup plus sexualisée – développe un autre discours concurrent. Michel Fano effectue sur la musique un travail analogue. En disloquant *La Traviata* de Verdi avec une absence de respect qui masque un hommage, il interdit toute jouissance narcissique que causerait la perception continue d'un air célèbre et fait surgir un sens nouveau : « […] dans ce film la musique est vraiment découpée, tronçonnée, de sorte que tout d'un coup un pizzicato de contrebasse ou un éclat de voix pris isolément produisent des effets comparables aux effets de collage que l'on a pu observer dans une certaine époque de la peinture[24] ».

L'absence de mise en hiérarchie qui caractérise la plupart des récits de Robbe-Grillet contredit clairement l'ordre narratif classique, soucieux de préserver une unité d'ensemble que seule peut garantir le principe de subordination. La fonction qu'il assigne à la « partition sonore » de *L'Homme qui ment* en est un bon exemple. Les bruits, détournés partiellement de leur signification référentielle, sont sélectionnés selon leur potentialité musicale (par exemple, la structure rythmique du bruit que fait le pivert) et intégrés dans un *continuum* sonore qui tient un discours autonome, entrant en interaction avec l'image sans lui être subordonné.

Les effets de rupture ponctuels ou microstructuraux sont aussi nombreux que variés. Parmi eux, on peut citer la désagrégation syntaxique qui affecte l'écriture chez Pinget ou chez Beckett. Le style « prise de notes » auquel a souvent recours Pinget défait l'architecture élaborée de la phrase en la réduisant à des structures simples d'où le procès est généralement évacué, reflet d'un réel en lambeaux. Ce passage de *Passacaille* confine à l'agrammaticalité : « Je soussigné dans la pièce froide, ciguë, pendule détraquée, je soussigné dans le marais, chèvre ou carcasse d'oiseau, je soussigné au tournant de la route, au jardin du maître, vieille femme à maléfices, sentinelle des morts, satyre, simulacre, en camionnette sur ce trajet dévié par le mauvais œil, jouet

---

24. M. Fano, *in* F. Jost, *Alain Robbe-Grillet, Œuvres cinématographiques, op. cit.*, p. 22.

de cette farce qu'on nomme conscience, personne, je soussigné minuit en plein jour, chavirant d'ennui, vieille chouette, pie ou corbeau…[25] » L'usage que fait Marguerite Duras des blancs typographiques et des points suspensifs, ou des silences au cinéma, fragmente le texte et le menace de dissolution dans un mouvement régressif vers l'origine. Quant à l'aphasie progressive qui clôt *Malone meurt*, elle est la concrétisation emblématique de la néantisation de l'être qui, dans toute l'œuvre de Beckett, ne se lève que pour mourir : « ni avec son crayon ni avec son bâton ni/ni lumières lumières je veux dire/jamais voilà il ne touchera jamais/il ne touchera jamais/voilà jamais/voilà voilà/plus rien. »

D'une manière différente, la phrase de Claude Simon, tortueuse et proliférante, subit de constantes agressions dans son développement syntagmatique par les décrochements qui la fragmentent (incises, parenthèses, tirets, rectifications, reprises, modalisation…) : « […] le tout – décor et personnages – possédant en commun cet on ne sait quoi de vaguement fabuleux qui semble être le privilège de ces acteurs du temps du muet ou des mannequins de vitrine, c'est-à-dire impossibles à concevoir déshabillés, nus, tant au physique (seins – à cette époque où aucune femme ne paraissait en avoir –, ventres, cuisses, sexes, poils) qu'en esprit, c'est-à-dire incapables, semble-t-il, d'éprouver nos passions (sinon à la façon des protagonistes de ces films que l'on pouvait voir, dit-on, dans les bordels, se livrant – les hommes barbus et les femmes en chemises-caracos retroussées) […][26]. »

La matière d'expression plurielle du cinéma permet des effets d'asynchronisme qui sont ressentis comme autant de ruptures. Robbe-Grillet en joue d'abondance, en introduisant des dissonances et des contradictions entre image et son. Le montage iconique en coupe franche (montage cut), soutenu par un rythme nerveux (plans brefs) et accompagné d'un jeu éventuel de changement scalaire (passage d'un plan d'ensemble à un gros plan) et de modification d'angle de prise de vues, produit des effets semblables de rupture et de fragmentarité. La séquence du rituel sacrificiel du grenier dans *L'Homme qui ment* est à ce titre exemplaire. Le passage brutal du figé à l'animé (photo qui s'anime) ou de l'animé au figé (mouvement qui se fige comme sur une photo), autre procédé utilisé par le cinéaste, transgresse le principe kinésique qui

---

25. Éd. de Minuit, Paris, 1969, p. 130.
26. *L'Herbe*, Éd. de Minuit, Paris, 1958, p. 189.

Alain Robbe-Grillet, *Trans-Europ-Express*. Phtogaphie de tournage, © Catherine Robbe-Grillet.

constitue la spécificité du cinéma, soulignant par là sa dimension littérale. D'un point de vue sémantique, le geste ainsi figé se charge d'ambiguïté – explique Robbe-Grillet –, comme cette statue de *Marienbad* sur la posture de laquelle les deux personnages multiplient les interprétations.

La fragmentation est d'autres fois le fruit d'un jeu intertextuel qui, convoquant une parole autre, hétérogène au discours principal, produit un « feuilletage » du texte qui en rompt l'unité linéaire. Les récits de Robbe-Grillet en sont prolixes, qui se plaisent à intégrer des stéréotypes culturels qu'ils mettent à distance dans un mouvement ludique. Ainsi du cliché du revolver enrayé, symbole d'impuissance, dans *L'Homme qui ment*, ou des stéréotypes sadomasochistes qui parcourent son œuvre romanesque et filmique. Un autre type d'intertextualité est à l'œuvre dans certains récits, réservée aux *happy few* familiers de cet univers. Il s'agit de références empruntées à d'autres textes, du même auteur ou d'un auteur appartenant à la même mouvance. L'imperméable que croit avoir oublié Boris Varissa dans *L'Homme qui ment* renvoie en fait à l'imperméable que portait l'acteur (Trintignant) dans le film précédent du même auteur (*Trans-Europ-Express*). Le revolver enrayé est une citation de *Marienbad* et de *Trans-Europ-Express*. Le scorpion qui apparaît dans *La Mise en scène*, de Claude Ollier, semble bien être un écho de la scutigère de *La Jalousie*. Dans tous les cas, la « réalité » est tenue à distance, supplantée par un réel imaginaire, textuel ou culturel.

2.3 Modèles structurels

Le récit, agressé dans ses structures et dans ses fondements idéologiques, perd son assurance, son unité formelle et sémantique et sa perspective globalisante. Toute vérité, relativisée par le jeu des discours pluriels et contradictoires, est abolie, remplacée par l'ouverture du sens. Toutefois, la fragmentation structurelle n'est pas synonyme d'absence de structure. Les récits du Nouveau Roman et du nouveau cinéma sont même généralement fortement structurés – « […] ma liberté est excitée par la plus grande contrainte », explique Robbe-Grillet[27] –, mais selon des modèles logiques pervertis ou des principes alogiques volontiers empruntés à d'autres modes d'expression.

Le modèle policier, parangon de la narration efficace et euphorique, n'est utilisé que pour être subverti. C'est le cas célèbre des *Gommes*, de Robbe-Grillet, dont le héros enquête sur un crime inexistant mais que son enquête finit par produire dans une circularité parfaite annulant le récit. Sous la structure policière de surface c'est la structure du mythe d'Œdipe qui en fait est à l'œuvre. Le texte se construit peu à peu comme un réseau de signes dont la combinatoire constitue le lieu d'émergence du sens. Les rapports « sériels » qui unissent les objets témoignent de la tendance du romancier – qui se renforcera par la suite – à recourir à des structures de type musical, la musique, dénuée de référent et de sémantisme proposant une architecture idéale pour combattre l'impression de réalité. Si *L'Homme qui ment* tend vers le « film-opéra », l'exploitation de la sérialité trouvera son accomplissement maximal dans *L'Eden et après* : « L'idée à la base de *L'Eden* était de se servir comme générateur pour un récit d'une forme aussi

---

27. *In* F. Jost, *Alain Robbe-Grillet, Œuvres cinématographiques, op. cit.*, p. 40.

hostile que possible à l'idée de récit ; or, la plus hostile de toutes les formes à la continuité, à la causalité du récit, c'est évidemment la série[28]. » « Les générateurs engendrant », le film, parti de cinq séries et de sept thèmes, se trouve au bout du compte doté de dix séries et de douze thèmes, ceux-ci réapparaissant dans chaque série à des places différentes. Une fois que l'échafaudage sériel a accompli sa fonction productrice au cours de l'élaboration du film, il peut disparaître de la perception : « Ce qui fait vivre *L'Eden*, ce n'est pas du tout qu'on repère la sérialité, mais c'est une lutte entre cette sérialité et la personnalité exubérante de Catherine Jourdan qui éclate sur l'écran[29]. »

Une structure musicale est également à l'œuvre dans *Hiroshima, mon amour*, constituée d'un entrelacs complexe de thèmes visuels, sonores et musicaux, et déterminée par les affects des personnages et non par la chronologie événementielle : « Je crois que si l'on analysait *Hiroshima* par un diagramme sur du papier millimétré, on assisterait à quelque chose proche du quatuor. Thèmes, variations à partir du premier mouvement ; d'où les répétitions, les retours en arrière [...]. Le dernier mouvement du film est un mouvement lent, déconcertant. Il y a là un decrescendo. Cela donne au film une construction en triangle, en entonnoir[30]. »

Le modèle pictural travaille également de nombreux textes. Dans les romans, l'insertion de descriptions minutieuses de reproductions d'images fixes (photo, tableau, carte postale...) produit une intertextualité qui contredit le mouvement même du récit. *Les Géorgiques* s'ouvrent sur la description exhaustive – elle s'étend sur sept pages – d'un tableau, plaçant ainsi la fiction sous le signe de la représentation. Le montage – analogue au collage pictural – qui supprime les démarcations entre le réel fictionnel et le réel « représenté » – par hypotypose ou *ekphrasis*[31] –, devient un principe structurel de l'œuvre. Le cinéma, qui partage avec les arts plastiques un certain

---

28. *Ibid.*, p. 38.
29. *Ibid.*, p. 40.
30. A. Resnais, cité par J. L. Leutrat, *Hiroshima, mon amour, op. cit.*, p. 64.
31. « L'hypotypose peint les choses d'une manière si vive et si énergique, qu'elle les met en quelque sorte sous les yeux, et fait d'un récit ou d'une description une image, un tableau, ou même une scène vivante. » Pierre Fontanier, *Les Figures du discours*, Flammarion, Paris, 1968, p. 390. L'*ekphrasis* est la description d'une œuvre d'art (tableau, tapisserie, sculpture, etc.). Par exemple, le bouclier d'Achille décrit par Homère.

nombre de codes, intègre le modèle pictural de deux façons : soit par un fonctionnement intertextuel, l'objet référentiel apparaissant sous forme de citation littérale (tableau filmé) ou allusive (reconstruction d'un décor renvoyant clairement à Mondrian, dans *L'Eden*) ; soit en élaborant une construction plastique qui fait jouer les masses lumineuses, les volumes, les formes, les couleurs, *comme* dans un tableau. Robbe-Grillet explique comment « la peinture est devenue l'un des générateurs » de *L'Eden et après*. Fasciné par « l'abstraction des formes » de l'architecture de Djerba, que favorisait l'hégémonie du blanc et du bleu, le cinéaste constate que l'intensité de la lumière écrase les volumes, donnant l'illusion de « surfaces peintes à plat ». De là naît la plasticité du film, dans une composition presque abstraite qui, dans son abstraction, rejoint la sérialité. Dans un même ordre d'idées, Jean Ricardou construit la plupart de ses récits sur le nombre huit, ses multiples, ses sous-multiples et ses diverses figurations[32].

L'Emploi du temps, de Butor, réunit exemplairement modèle policier, structure musicale et composition plastique. Le roman révèle une structure fort complexe, élaborée à partir de la relation conflictuelle entre une structure forte, à valeur heuristique, qui fait apparaître un ordre dans le chaos ; et une forme faible qui dévoie le modèle et le corrode, le sens se développant dans la polysémie de l'imperfection : « L'œuvre "ouverte", le fragment dans sa maturité, implique d'une part une architecture interne en développement d'une grande rigueur, d'autre part son interruption, laquelle, pour avoir toute sa force, doit être elle aussi rigoureusement dessinée[33]. » Le modèle policier, forme forte renforcée par sa signifiance anthropologique (le rite du meurtre fondateur structure la trame policière, Œdipe faisant office de détective), est redoublé par une autre structure forte, musicale cette fois, celle du canon à cinq voix. Butor lui-même explique comment, « fasciné par les possibilités de structures temporelles contrapuntiques », il a construit son roman à partir d'une composition polyphonique[34]. Chaque partie du roman – cinq au total –

---

32. Voir l'analyse d'Hélène Prigorine dans *Nouveau Roman : hier, aujourd'hui, 2*, *op. cit.*, p. 353 *et sq.*
33. M. Butor, *Répertoires III*, Éd. de Minuit, Paris, 1968, p. 19.
34. *Improvisations sur Michel Butor, l'écriture en transformation*, La Différence, 1994, p. 81-91.

fait ainsi entrer une « voix » qui perdure jusqu'à la fin, le procédé entraînant un effet de polyphonie graduelle. Dans la première partie, Jacques Revel écrit, au mois de mai, ce qui lui est arrivé en octobre ; à cette première voix s'en ajoute une seconde, qui raconte les événements contemporains de l'écriture ; puis se superpose une troisième voix, rétrograde celle-ci, qui raconte en remontant le temps ; une quatrième voix, de relecture, se joint aux trois autres, suivie d'une cinquième, de relecture elle aussi, mais rétrograde. Cette construction musicale complexe et rigoureuse, isomorphe de celle du récit policier avec ses voix descendantes (le crime) et rétrogrades (l'enquête), est victime de la corrosion exercée par l'imperfection d'une mémoire lacunaire et l'impossibilité de tout dire, le texte avouant finalement le triomphe de la fragmentation, dans l'« amoncellement de phrases semblables aux ruines d'un édifice inachevé[35] ». Quant à l'œuvre d'art (séries des vitraux, par exemple), elle apparaît comme un lieu de polarisation sémantique dans la mesure où sa cohérence métaphorique, liée à la fois à chaque vitrail dans sa singularité et à la mise en ordre de la série, informe le réel en le faisant passer au sens dans la liberté de l'interprétation réactualisée qu'elle autorise.

2.4 La métadiscursivité

Implicitement, toutes les stratégies d'écriture qui visent à déconstruire le récit dans sa traditionnelle efficacité par des ruptures de la linéarité syntagmatique dénoncent du même coup sa prétendue naturalité. Ponctuant le texte comme autant de marques d'énonciation, elles soulignent le travail d'élaboration constant auquel celui-ci est soumis. Certains romans ou films poussent la démarche plus loin, en affichant de façon explicite le travail du texte. Le récit se constitue alors, dans un mouvement de retour sur lui-même, en objet de réflexion, en objet désigné de l'écriture. L'un des procédés métadiscursifs consiste à mettre en scène un personnage qui lui-même écrit, multipliant les commentaires sur sa propre activité. C'est ce que fait Malone, dans *Malone meurt*, par ses interruptions, ses dénégations, ses doutes, ses défaillances, ses réflexions sur la difficulté d'écrire qui discréditent le récit au lieu d'en renforcer l'illusion – « Reste-t-il quelque chose à ajouter ? », « Quel ennui »,

---

35. Éd. de Minuit, Paris, 1956, p. 258.

« Quelle misère », « Ça avance », « [...] au lieu de me lancer dans ces histoires à crever debout de vie et de mort », « Ai-je dit que je ne dis qu'une faible partie des choses qui me passent par la tête ? ». Mahu ne s'y prend guère mieux : « Donc cette histoire je la raconte mais il y a aussi Latirail, il écrit des romans. Il me dit parfois comment il fait, ça me complique beaucoup, il peut bien m'expliquer ses personnages mais moi je suis peut-être l'un d'eux quand j'y pense ? Dans ma tête c'est la pagaille, il ne faut pas trop réfléchir, sur le moment on perd le fil, ensuite on voit que je me débats avec le diable[36]. » Le héros du roman de Nathalie Sarraute *Les Fruits d'or* est précisément un roman intitulé *Les Fruits d'or*, décrivant les multiples réactions qu'il suscite, observées jusque dans leurs mouvements les plus impalpables et les non-dits : « [...] ils ont lu à livre ouvert en elle, en lui, ils ont vu leur satisfaction à tous deux, deviné leur conspiration, ils ont perçu – ils sont toujours si vigilants – les regards échangés, les sourires de mépris... Très amusant... Pauvres gens... Débiles aux cerveaux peu solides, mal construits, incapables de saisir, de disséquer les choses délicates[37]. »

L'héroïne de *Hiroshima, mon amour* est une actrice venue dans la ville japonaise pour tourner un film sur la paix. Quant à *Trans-Europ-Express*, il met en scène – avec humour – un cinéaste en proie aux difficultés de la création. De façon moins explicite, *L'Homme qui ment* prend pour objet de sa narration la narration elle-même, dans la mesure où Boris Varissa tente inlassablement de « raconter son histoire », en s'ingéniant à conjurer les menaces que les autres discours (iconique et sonore) font peser sur son récit.

À un niveau plus ponctuel, les ingérances du narrateur extradiégétique dans son récit rompent l'illusion d'une narration transparente, *a fortiori* lorsque ces ingérences concernent le récit lui-même, comme dans ce passage de *L'Herbe* où le narrateur jette le doute sur son propre discours : « Ou peut-être pas. C'est-à-dire peut-être pas ce soir-là, ou ces mots-là (sinon le volubile, affolé et inepte bavardage de Sabine), de cette sortie. Peut-être simplement, au lieu de cela, quelques regards (ou même pas : des yeux évitaient de se rencontrer), des mots retenus, ou dits une autre fois, ou peut-être jamais dits, seulement pensés [...] » (p. 150).

---

36. R. Pinget, *Mahu ou le Matériau*, *op. cit.*, pp. 9-10.
37. Gallimard, Paris, 1963, p. 112.

3. UN NOUVEL ESPACE-TEMPS

Dans son introduction à *La Mise en scène*[38], Philippe Boyer divise « schématiquement » les Nouveaux Romanciers entre ceux qui, comme Simon ou le premier Butor, subvertissent l'ordre des chronologies et ceux qui bouleversent les règles des topologies, tels Robbe-Grillet, le second Butor ou Claude Ollier. Au-delà de cette distinction, c'est le chronotope[39] romanesque traditionnel qui se fissure de toutes parts, perdant son homogénéité, sa stabilité, son ordonnancement interne.

3.1 L'espace

Discontinuité et confusion

La pensée moderne, informée par les nouveaux acquis scientifiques (structure discontinue de la matière, fission de l'atome…) dans lesquels elle trouve un écho de la division qui affecte la conscience de l'homme, a substitué à la philosophie du continu triomphante, jusqu'à la première guerre mondiale, une philosophie du discontinu, fondée sur une connaissance parcellaire, trouée du monde. La conception de l'espace s'en trouve bouleversée, la fluidité rassurante d'un espace homogène disparaissant pour laisser place à une réalité fragmentaire et informelle, faite de ruptures et de vides, dominée par le chaos, génératrice d'angoisse. Cette discontinuité, sur laquelle insiste la phénoménologie, se retrouve à l'œuvre diversement selon les textes. Dans *L'Homme qui ment*, les passages non motivés d'un lieu à l'autre et les faux raccords, le montage en coupe franche, la juxtaposition rapide de « morceaux » d'espace accompagnée de changements de point de vue et/ou de modifications scalaires génèrent des effets de rupture et des contradictions qui interdisent toute vision globalisante d'un espace homogène. Dans *Triptyque*, le principe déjà cité de juxtaposition de fragments – appartenant à différents types de réalité –, en abolissant les frontières, construit un espace

---

38. Dans l'édition Flammarion.
39. Concept développé par Mikhaïl Bakhtine dans *Esthétique et Théorie du roman* (Gallimard, 1978), qui établit la corrélation essentielle des rapports spatiotemporels telle qu'elle a été assimilée par la littérature.

dominé par la porosité et la confusion. Dans les films de Duras, c'est la vacuité des lieux, soulignée par la fixité de la caméra, qui déréalise l'espace. Espace qui, dans *Malone meurt*, est caractérisé par une évolution vers l'informe, l'indifférencié, une pénombre qui hésite entre le gris et le noir : « Et qu'est-ce à dire sinon qu'il n'y a vraiment pas de couleur ici, sauf dans la mesure où cette sorte d'incandescence grisâtre en est une… Oui, on pourrait parler de gris sans doute, moi je veux bien, et alors le jeu ou conflit se ferait chez moi entre ce gris et le noir qu'il recouvre plus ou moins, j'allais dire selon l'heure, mais cela ne semble pas être toujours une question d'heure. Moi-même je suis gris, au même titre que mes draps par exemple » (pp. 85-86). La géographie extérieure, de *Murphy* à *L'Innommable*, subit d'ailleurs un processus de réduction et de décomposition symbolique de l'anéantissement progressif de l'être, car « Rien n'est plus réel que rien[40] ».

Tentative d'appréhension

L'effort que réalise l'homme d'aujourd'hui pour demeurer en contact avec un monde qui se dérobe le contraint à connaître *concrètement* sa propre situation. C'est bien en effet une nécessité existentielle qu'éprouve l'homme moderne à se situer dans un espace morcelé et chaotique, régi par de nouvelles lois perceptives, auquel il tente de donner un ordre. L'appréhension du monde extérieur, dans laquelle la visualité tient une grande place, se fait, chez la plupart des Nouveaux Romanciers, de manière phénoménologique, par une saisie « naïve », de surface, qui cherche à y *délimiter* la place de l'homme en le séparant de l'espace contigu. *La Mise en scène* s'ouvre sur un découpage géographique de l'espace : « Depuis longtemps, depuis quelques instants peut-être, allongé sur le lit dans l'angle blanc des parois, la fenêtre à ses pieds, le mur à sa gauche, à droite la table de nuit et la porte donnant sur le vestibule, immobile, attentif, il observe la chambre… » Énumérations-catalogues, inventaires, cartes géographiques et plans investissent les textes. Malone procède à un inventaire fébrile de ses « possessions », qu'il parvient à atteindre grâce à un bâton dont la perte signe la fin de ce qui lui restait de maîtrise de l'espace : « Quand j'aurai fait mon inventaire, si ma mort n'est

---

40. *Malone meurt, op. cit.*, p. 32.

pas prête, j'écrirai mes mémoires. [...] Mes possessions sont dans un coin, pêle-mêle. Avec mon long bâton je peux les remuer, les amener jusqu'à moi, les renvoyer à leur place » (p. 16). L'espace devient l'objet d'un conflit entre une volonté de structuration qui aide l'homme à se situer et une tendance à l'indétermination – « le vieux brouillard m'appelle » (p. 13) –, où il se trouve privé de repères. Dans *La Mise en scène*, « une immense carte comprenant l'ensemble du massif montagneux, un triangle de plaine au nord-ouest, et au sud-est l'amorce des hauts plateaux désertiques[41] » s'étale sur le mur du bureau du capitaine Weiss. Jacques Revel, narrateur homodiégétique de *L'Emploi du temps*, tente de s'approprier l'espace inconnu de Bleston par l'observation minutieuse du plan de la ville. Dans sa tentative d'appréhender l'espace afin de s'y situer, l'homme est amené à le parcourir, à y inscrire des trajets qui le jalonnent et l'apprivoisent. *Le Voyeur* est l'histoire d'un parcours, tout comme *La Mise en scène* ou *L'Homme qui ment*, où les trajets se multiplient.

Peuplant l'espace de sa présence obstinée, l'objet accède à une nouvelle fonction. Dépouillé de son rôle explicatif, des liens de solidarité et de complicité qu'il entretenait traditionnellement avec l'homme, il impose son « être-là », opaque, énigmatique. Appréhendé dans ses attributs sensoriellement perceptibles – situation, formes, couleur, brillance, matière... –, il donne du monde une vision objectivée, d'une rigueur souvent géométrique : « L'ovale blanc, luisant, de la poignée, présente plusieurs points lumineux ; celui dont l'éclat frappe, au premier abord, est placé tout en haut ; un second, beaucoup plus étendu mais moins brillant, dessine dans la partie droite une sorte de polygone curviligne à quatre côtés. Des raies claires, de longueur, de largeur et d'intensité diverses, suivant en outre, à des distances variées, le contour général de l'arrondi, comme on a l'habitude d'en figurer sur les dessins afin de simuler le relief[42]. » La prépondérance accordée au regard et à la saisie phénoménologique des objets dans les premiers romans de Robbe-Grillet établit la réputation d'un Nouveau Roman « chosiste », « objectal », dénué d'intériorité et d'« humanité », à laquelle Barthes lui-même contribue largement : « [...] l'objet de Robbe-Grillet n'a ni fonction, ni substance. Ou plus

41. *Op. cit.*, p. 52.
42. A. Robbe-Grillet, *Dans le labyrinthe*, Éd. de Minuit, Paris, 1959, p. 83.

exactement, l'une et l'autre sont absorbées par la nature optique de l'objet[43]. » Le romancier revendique pourtant la « subjectivité totale » du Nouveau Roman : « C'est Dieu seul qui peut prétendre être objectif. Tandis que dans nos livres, au contraire, c'est un homme qui voit, qui sent, qui imagine, un homme situé dans l'espace et dans le temps, conditionné par ses passions, un homme comme vous et moi. Et le livre ne rapporte rien d'autre que son expérience, limitée, incertaine. C'est un homme d'ici, un homme de maintenant, qui est son propre narrateur, enfin[44]. » L'objet, lié à une conscience lucide qui connaît les limites de sa connaissance du monde, ne vient à l'existence que par le regard singulier qui l'appréhende. Construit par le texte, il peut alors devenir le lieu de projections fantasmatiques, jouer en échos avec d'autres objets avec lesquels il forme un réseau signifiant qui irrigue l'espace textuel, comme les objets en forme de huit – cordelette, lunettes, dessins, fumée de cigarette, etc. – qui ponctuent *Le Voyeur*. De la même façon que, dans ses films, Robbe-Grillet procède à une désémantisation des bruits en les détournant de leur référent, puis à une resémantisation d'ordre musical, il confère aux objets un sens nouveau, indépendant de leur sens référentiel. Précisons par ailleurs que si Robbe-Grillet privilégie le regard comme moyen d'appréhension du monde, on ne peut ignorer que Pinget, lui, milite pour l'oreille : « […] il serait erroné de me croire partisan d'une école du regard. S'il s'agit d'être objectif, l'oreille a d'aussi tyranniques exigences[45]. »

Dans tous les cas, c'est le statut même du descriptif qui se trouve modifié. Le roman « bourgeois » traditionnel prétendait saisir le monde par la description, en enfermant l'objet, fût-il un personnage, dans l'ensemble de ses caractéristiques, le dotant d'une cohérence univoque. La saisie descriptive néoromanesque est une saisie imparfaite, lacunaire, ambiguë, qui frustre les attentes du lecteur de diverses façons. La description « superficielle », phénoménologique, détachant l'objet de ses relations avec l'homme, prive le lecteur de la jouissance que procure la reconnaissance d'un univers familier et l'échappée vers les secrets de la « profondeur ». Par ailleurs, l'inflation

---

43. « Littérature objective », dans *Essais Critiques*, *op. cit.*, p. 31. Voir également « Littérature littérale ».
44. *Pour un Nouveau Roman*, *op. cit.*, p. 118.
45. *Nouveau Roman : hier, aujourd'hui, 2*, *op. cit.*, p. 311.

descriptive – qui confine parfois à l'obsession –, au lieu de permettre une vision totale et exhaustive de l'espace considéré dont elle conférerait la maîtrise, provoque au contraire un brouillage du réel qui finit par se diluer par excès de précision, par le jeu de la fragmentation ou par celui des variantes contradictoires : « Mais les lignes du dessin s'accumulent, se surchargent, se nient, se déplacent, si bien que l'image est mise en doute à mesure qu'elle se construit. Quelques paragraphes encore et, lorsque la description prend fin, on s'aperçoit qu'elle n'a rien laissé debout derrière elle : elle s'est accomplie dans un double mouvement de création et de gommage […][46]. » La description s'exténue à vouloir saisir le monde dans sa mobilité, se construisant elle-même dans ce vain mouvement. L'œuvre de Claude Simon évolue ainsi vers l'utilisation du descriptif comme moteur même de l'écriture (*Triptyque, Leçon de choses*).

La description n'est plus cette excroissance suspensive qui rompait la continuité de l'action dans le roman classique ; elle devient un lieu de développement et de relance de l'action – et d'avènement du sens –, assurant ainsi la production du récit et sa cohésion interne. Elle est aussi, au même titre que les structures musicales ou plastiques, le lieu où affleure cette sensualité du texte que revendiquent Pinget, Robbe-Grillet ou Simon : « Le concret, c'est ce qui est intéressant. La description d'objets, de paysages, de personnages ou d'actions[47]. »

3.2 Le temps

« Quand on ne me demande pas ce qu'est le temps, je sais ce qu'il est. Quand on me le demande, je l'ignore », disait Saint-Augustin. Concept fuyant, dépourvu de contenu explicite, le temps échappe aisément à toute appréhension intellectuelle. Pour tenter de le soumettre, la pensée classique en donne une représentation ordonnée et hiérarchisée. Comme on peut s'y attendre, Nouveaux Romanciers et nouveaux cinéastes refusent une telle conception rationalisée du temps, qui implique la progression chronologique du récit et la catégorisation temporelle – passé, présent, futur –, pour lui opposer une

---

46. A. Robbe-Grillet, *Pour un Nouveau Roman, op. cit.*, p. 127.
47. C. Simon, *Le Monde*, 19 sept. 1997, entretien avec Philippe Sollers.

temporalité subjective, qui respecte la richesse et la disparité des impressions que reçoit la matière psychique de façon presque simultanée, et le désordre perceptif qui en résulte. C'est donc encore une fois au nom d'un réel plus authentique que se désagrège le temps rassurant des horloges et que se construisent des temporalités « privées » et déroutantes.

Les personnages de Pinget se débattent dans les rets d'une mémoire trouée incapable de fixer les menus événements qui constituent la trame d'une vie. Le narrateur de *Quelqu'un*, en quête d'un papier égaré, tente de reconstruire les faits et gestes qui lui permettraient de le retrouver, dans un ressassement interminable du même, jamais complètement identique et toujours incomplet : « Difficile de se souvenir. Mais si, je le faisais déjà. J'aurais donc continué à raconter ma vie pour m'en débarrasser en sachant que ça ne servait à rien ? C'est une croix de n'avoir pas de mémoire. Déjà des complications. Moi qui était parti gentiment, presque gaiement. Mais il ne faut pas se laisser abattre. Il faut avoir toute sa tête, je répète. S'accrocher, s'agripper[48]. » Claude Simon, souhaitant restituer une simultanéité que la linéarité du récit littéraire est peu apte à exprimer, brouille les repères temporels et multiplie l'usage du participe présent, d'aspect imperfectif et dépourvu de valeur temporelle autonome. L'indétermination ainsi obtenue reflète la perception immédiate du temps vécu par la conscience : « […] il se dirige déjà vers l'impasse dont il ressort peu après, poussant la grosse moto qu'il enfourche calmement, son pied appuyant plusieurs fois sur le démarreur, le moteur pétaradant tout à coup, l'engin commençant à rouler, s'engageant tout d'abord comme en titubant lui aussi sur la chaussée, les deux pieds de l'homme en étais de chaque côté rétablissant l'équilibre jusqu'à ce que tournant à gauche et prenant de la vitesse il s'éloigne rapidement dans le tonnerre de son moteur qui décroît très vite, la fille revenue sur le seuil de l'estaminet l'écoutant s'éteindre puis, quand il a cessé, regardant un instant à la lumière qui vient de l'intérieur ses bas déchirés, se détournant, et fermant la porte[49]. » La phrase elle-même, dont la longueur affecte parfois la lisibilité en défiant la capacité mémorielle du lecteur, tente de fixer le temps dans sa durée par une saturation

---

48. Éd. de Minuit, Paris, 1965, pp. 13-14.
49. *Triptyque*, *op. cit.*, pp. 125-126.

de l'espace textuel obtenue grâce à diverses stratégies – addition, expansion, décrochements, reprises, modifications.

C'est une histoire arrachée à l'oubli, éclatée, morcelée, qui nous parvient racontée par les voix anonymes d'*India Song*. D'une façon générale, l'organisation spéculaire des récits de Marguerite Duras, les répétitions, le brouillage des démarcations temporelles, les effets d'asynchronisme entre images et paroles mettent en échec le développement chronologique de l'intrigue. *Hiroshima, mon amour* instaure une temporalité vécue dans le présent de la conscience à travers la résurgence de lambeaux du passé. C'est également l'existence du temps dans sa seule dimension vécue du présent que tente de restituer Robbe-Grillet dans ses œuvres, qui témoignent d'ailleurs d'une nette prédilection pour la narration au présent. Le langage cinématographique, dont l'absence de modes et de temps grammaticaux semble privilégier le présent, permet, mieux que le langage littéraire, de construire une telle temporalité. Le présent de la fiction se confond alors avec le présent du texte, la seule durée à l'œuvre étant celle du film. Robbe-Grillet explique la temporalité autoréférentielle de *L'Année dernière à Marienbad* : « L'univers dans lequel se déroule tout le film est, de façon caractéristique, celui d'un présent perpétuel qui rend impossible tout recours à la mémoire. C'est un monde sans passé qui se suffit à lui-même à chaque instant et qui s'efface au fur et à mesure. Cet homme, cette femme commencent à exister seulement lorsqu'ils apparaissent sur l'écran pour la première fois ; auparavant ils ne sont rien ; et, une fois la projection terminée, ils ne sont plus rien de nouveau. Leur existence ne dure que ce que dure le film. Il ne peut y avoir de réalité en dehors des images que l'on voit, des paroles que l'on entend[50]. »

Réduite au présent indifférencié d'une conscience singulière et supplantée dans sa fonction d'organisation par l'ordre structurel (symétrie, duplications, analogies, sérialité, etc.), la chronologie temporelle, liée à l'irréversibilité des événements, s'efface au profit d'un temps « désorienté », non vectorisé, qui n'a plus à charge d'accomplir un destin et de mener une intrigue de son début jusqu'à sa fin. Dans le même ordre d'idées, le début des récits remplit souvent une fonction matricielle, qui contredit d'emblée une temporalité prospective.

---

50. *Pour un Nouveau Roman, op. cit.*, p. 131.

Le générique de *L'Homme qui ment* expose ainsi les « séries » plastiques et sonores développées dans la suite du récit, de même que celui de *L'Eden et après* annonce les grandes unités sémantiques (le jeu, l'amour, la mort, la narration) qui annoncent le projet du film[51].

D'autres textes subvertissent moins l'ordre chronologique qu'ils ne jouent sur le rythme vécu du temps, procédant par ellipses et étirements infinis de la durée. Nathalie Sarraute, dans l'exploration minutieuse de ces « mouvements souterrains » qui forment les « sous-conversations », restitue une durée intérieure sans commune mesure avec le temps objectif, en les « décomposant » et en les faisant « se déployer dans la conscience du lecteur à la manière d'un film au ralenti[52] ». De *Nathalie Granger*, Marguerite Duras a voulu faire un film de la durée pure, qui fasse éprouver le sentiment intense et pesant d'un temps vécu en continuité (plans fixes, retour des mêmes lieux, vacuité et silence, durée des plans excédant le temps « conventionnel »).

4. NOUVEAU STATUT DU PERSONNAGE

Dans *L'Ère du soupçon*, Nathalie Sarraute jette le discrédit sur le personnage romanesque traditionnel, caractérisé par son inscription dans un contexte sociohistorique, par sa cohérence psychologique et comportementale, par le destin qu'il accomplit, par son « épaisseur » et sa « profondeur », bref par son humanité, par tout ce qui le fait ressembler à un modèle référentiel désuet. L'homme moderne, désorienté et divisé, ne peut plus se reconnaître dans ce héros porteur d'un sens univoque.

Le nouveau personnage apparaît en effet faiblement caractérisé. La rareté, voire l'absence de descriptions de son être physique – dans les romans – en interdit toute représentation globale précise. La « fiche d'état civil », qui l'ancrait dans le roman de type balzacien à une réalité sociale, familiale, professionnelle, historique déterminée, disparaît au profit d'une **indétermination** dont n'émerge que de rares attributs et des états de conscience qui disent son rapport au monde.

---

51. Pour une analyse détaillée, voir A. Gardies, *Approches du récit filmique*, *op. cit.*
52. *L'Ère du soupçon*, Gallimard, coll. « Idées », Paris, 1956, p. 9.

Dans le roman classique, l'identité du personnage passe d'abord par la désignation onomastique, garante de son existence individuelle. Les Nouveaux Romanciers et les nouveaux cinéastes usent de stratégies diverses pour interdire cette construction identitaire. L'**anonymat** est la plus radicale, l'absence de référent des pronoms personnels (*Hiroshima*) ou la valeur générique d'une fonction (« le soldat » de *Dans le labyrinthe*) se substituant aux anthroponymes attestant une singularité. Parfois la désignation se réduit à une initiale ; c'est le cas de « A… » dans *La Jalousie*. D'autres fois le personnage est nommé mais le choix même du nom détruit l'effet de réel. La ressemblance phonétique des noms des « héros » romanesques beckettiens – Molloy, Murphy, Malone – est le signe trop visible d'une volonté créatrice. Dans *L'Homme qui ment*, la fonction singularisante généralement dévolue au prénom est déjouée par la similitude du phonème final des prénoms féminins – Laura, Maria, Sylvia –, génératrice de confusion, ainsi que par le dédoublement identitaire (Jean/Boris). La reprise, d'une œuvre à l'autre, de mêmes prénoms désignant des personnages différents (Jean, Boris sont déjà dans *Un régicide*) contribue également à briser l'illusion référentielle. Le mouvement d'autogénération dont est animée toute l'œuvre de Marguerite Duras – un personnage naissant d'un autre (le personnage de la mendiante du *Vice-consul*, par exemple, est généré par celui de Lol V. Stein) – substitue au mirage référentiel un mécanisme d'autoréférence. Dans *Mahu ou le Matériau*, Pinget nous montre avec humour le « romancier » Latirail aux prises avec ces problèmes de nomination : « Le Chercheur-moi, disons que c'est Fio. Les autres seront des comparses, je ne peux pas imaginer des découvertes pour chacun. Fian et Fion accompagnent Fio dans ses fouinages. Fian et Fion ? Ces noms ne vont pas. Ça fait fantaisiste. Je les appelle… Tringla et Boucher. Fio, Tringla et Boucher. Non, Bouchez. Prononcez Bouchèze. Pourquoi pas Bouchèze ? Fio, Tringla et Bouchèze. Très bien » (pp. 43-44).

Opposant la continuité du personnage mauriacien à la discontinuité du personnage dostoïevskien, Robbe-Grillet précise : « Thérèse [Desqueyroux] est un personnage au sens balzacien, parce qu'il est constitué comme une entité entièrement explicable, comme un tout, une totalité, un sens ; il a un caractère, un destin, une identité. Stavroguine, en revanche, présente d'un côté de très forts effets de personnage ; c'est pourquoi il reste, pour moi comme pour des tas de gens, quelqu'un d'extrêmement présent. Mais il est également présent par son autre côté : ce carrefour de béances, de fissures, de coupures. On ne sait pas du tout ce qu'il a été et le livre se termine par cette phrase étrange : d'ailleurs il a probablement toujours menti, même lors de sa confession. C'est exactement le personnage de *L'Homme qui ment* : sa réalité, sa présence réelle, sa présence charnelle, qui est si forte dans *Les Possédés*, vient du fait qu'il est troué, troué de tous les côtés : son récit est troué, sa présence est trouée, son réel est troué[53]. » Ce sont bien des personnages troués, émiettés (le protagoniste de *Fable*, de Pinget, s'appelle Miaille, puis Miette) que mettent en scène les nouveaux récits, des personnages qu'on ne peut saisir que par fragments, souvent contradictoires, qui se désagrègent parfois jusqu'à disparaître. La **contradiction** affecte volontiers le comportement, conférant au personnage une duplicité ou une ambiguïté qui bouleverse tant les principes d'une cohérence psychologique que les schémas axiolologiques garants d'une cohérence morale. Dans *L'Homme qui ment*, la contradiction définit de façon exemplaire Boris, Jean et la pharmacienne, dans la mesure où les différentes versions des épisodes qui les mettent en scène donnent d'eux tantôt une image de « héros », tantôt une image de traître, sans que jamais le texte n'apporte aucun démenti. Ce sont ainsi les catégories rassurantes du bien et du mal qui s'effondrent, laissant place à une ambiguïté déroutante. Les personnages, composés éclectiques d'impulsions de signes contraires (cruauté/tendresse, loyauté/opportunisme, courage/veulerie) deviennent insaisissables et inclassables. D'autant que la substitution d'une motivation d'ordre structurel à la traditionnelle motivation « réaliste » fait souvent apparaître leurs faits et gestes comme incongrus et incohérents.

Quand la perte d'unité ne se fait pas par contradiction, elle se fait par **dissolution**. Les personnages deviennent alors fantomatiques, comme certains personnages robbe-grilletiens, tel le polymorphe Henri de Corinthe des *Romanesques*, ou ces voix errantes des films de Duras, séparées de leur corps. Jacques Revel, à la fin de sa quête dans les méandres du temps, se définit, avec une insistance soulignée par le mouvement anaphorique, comme un fantôme. C'est finalement la disparition qui menace les personnages de

---

53. *In* F. Jost, *Alain Robbe-Grillet, Œuvres cinématographiques*, *op. cit.*, pp. 26-27.

Duras, concrètement « montrée » par leur absence à l'image, ou par la présence discrète d'une silhouette obscure dans la pénombre, éloignée de la caméra, l'espace ainsi rendu à une désolation originelle et mythique. C'est de même à une désagrégation ontologique qu'est soumis le personnage beckettien, par l'ensevelissement ou les « glouglous de vidange », peu importe, le corps retournant à la confusion du néant : « Cet enchevêtrement de corps grisâtres, c'est eux. Ils ne sont plus, dans la nuit, qu'un seul amas, silencieux, visibles à peine, s'agrippant peut-être les uns aux autres, leurs têtes aveuglées dans leurs capes[54]. »

À force de perdre de son « humanité », le nouveau personnage tend vers une **abstraction désincarnée**, même s'il s'incarne dans un corps d'acteur, comme O dans *Film*. L'action décrite est une action toute mentale, contenue entre les deux gros plans d'œil qui encadrent le récit et symbolisent l'accès à l'intériorité, et illustrant la théorie de Berkeley – *Esse est percipi* – sur la perception de soi-même. L'acteur – Buster Keaton – figure l'être confronté à la perception angoissante de soi-même, la caméra – OE – assumant, « dans cette situation conflictuelle entre regardant et regardé, le rôle de l'instance terrifiante du double[55] ». La déréalisation du personnage s'obtient par le gommage – chose difficile au cinéma – de la personne physique de l'acteur, filmé de dos presque jusqu'à la fin du film, ainsi que par la notoriété de son impassibilité. La terreur ultime qui s'y lit n'en acquiert que plus de force.

Absence de singularisation, fragmentation, contradiction des comportements, réversibilité des rôles, dissolution et abstraction sont autant de procédures qui, affectant le personnage dans son unité et sa cohérence sémantique, remettent en cause sa fonction représentative et soulignent sa dimension de construction imaginaire. Être de papier, ou de pellicule, fait de mots, ou de photogrammes, son existence ne dure que ce que dure le récit. *L'Homme qui ment* le dit bien, qui n'accède à l'existence que par la parole qui le construit. Support désincarné d'un questionnement ontologique, le personnage n'a plus de réalité que littéraire ou cinématographique.

---

54. *Malone meurt, op. cit.*, p. 216.
55. Dominique Blüher, « *Film* » *de Samuel Beckett*, mémoire de maîtrise, Paris-III, 1987.

5. LA PERTE DU SENS

5.1 L'histoire en ruine

Les agressions répétées que subit le récit sur tous les fronts atteignent l'histoire dans sa linéarité causale, son déroulement chronologique, son homogénéité spatiale, son univocité sémantique. La valeur téléologique d'un ordonnancement factuel orienté vers une finalité précise cède la place à la vision chaotique d'une action morcelée et désorientée, sans autre fin, bien souvent, que l'échec, le néant, la désolation. Catastrophes, déroutes, ruines investissent les textes, dans un jeu spéculaire avec la narration, elle-même soumise à un processus d'érosion. Ainsi, chez Claude Simon, la vision – désastreuse – de la guerre, limitée au camp des vaincus, se réfléchit dans une écriture discontinue qui restitue la confusion et le désordre vécus. Les incessantes hésitations et rectifications du discours opacifient progressivement la réalité guerrière qui, transformée en simulacre par le travail de l'écriture, trouve son ultime justification dans sa littérarité.

L'hypertrophie descriptive, dans bien des récits, brouille l'intrigue, noie la fiction sous une avalanche de notations dont la fonction cognitive s'efface derrière la sensation de vertige qu'elle produit.

En tout état de cause, l'histoire perd son efficacité, soit par excès, soit par défaut. Dans le premier cas, les événements romanesques – intrigue amoureuse, rencontre, poursuite, crime, enquête, voyage… –, présents dans le récit, parfois même proliférants, s'annulent par le jeu des hypothèses, des variantes et des contradictions qui conduit le texte à une vaste aporie, comme dans *Les Gommes*. Ou bien alors, la dimension romanesque, prise dans un système structurel et symbolique qui la subsume, signifie « autrement ». Ainsi de *La Mise en scène*, de Claude Ollier, à la fois roman d'aventures « colonial » et roman policier, qui s'inscrit dans une structure topographique du récit, symbolique du travail scriptural. Ou encore de *L'Emploi du temps*, de Michel Butor, dont l'intrigue policière n'a de sens que dans la confrontation avec les autres structures à l'œuvre – musicale, intertextuelle, spatiale, mémorielle.

Dans l'autre cas, c'est la matière narrative elle-même qui semble faire défaut, l'action se résumant à une accumulation de menus faits « insignifiants » – Pinget est passé maître dans la promotion de l'anodin et du banal – ou se raréfiant au point de disparaître pendant de longs moments. *India Song* s'ouvre sur le plan fixe d'environ quatre minutes d'un coucher de soleil sur un paysage épuré, accompagné de voix *off* mêlées. Tout au long du film – comme dans *Aurélia Steiner* –, l'action est expulsée d'une image envahie par l'immobilisme, la vacuité, l'obscurité et le silence, la (ou les) voix sans visage étant chargée de raconter une histoire en lambeaux.

5.2 La perte de la maîtrise énonciative

Le parti pris de subjectivité induit par le concept d'une réalité dont l'unique existence relève d'une conscience singulière entraîne tout naturellement le rejet du point de vue omniscient. Le relativisme inhérent à tous les systèmes de pensée non essentialistes affecte en effet les récits dans leur structure énonciative. Le narrateur, limité dans son champ perceptif et cognitif, ne peut avoir du monde qu'une vision partielle et partiale. Du coup, les contours parfois s'estompent, le réel est menacé de dissolution : « Comme la fenêtre est située au dernier étage, tous ces ronds de lumière doivent apparaître lointains et pâles, au fond de la longue tranchée formée par les deux plans parallèles des façades ; si lointains même, si tremblotants, qu'il est naturellement impossible de distinguer les flocons les uns des autres : vus de si haut, ils ne forment de place en place qu'un vague halo blanchâtre, douteux lui-même car la lueur des lampadaires est très faible, rendue plus incertaine encore par l'éclat diffus que répandent alentour toutes ces surfaces blêmes, le sol, le ciel, le rideau de flocons serrés descendant avec lenteur mais sans interruption devant les fenêtres, si épais qu'il masque maintenant tout à fait l'immeuble d'en face, les lampadaires de fonte, le dernier passant attardé, la rue entière[56]. » Dans *La Route des Flandres*, l'énonciation, immergée dans la débâcle de la guerre, ne peut en donner qu'une vision parcellisée et myope, jamais récupérée par une conscience totalisante.

Ailleurs, une pluralité de voix, juxtaposées ou enchâssées, traverse le texte, entraînant une multiplicité de points de vue dont aucun ne peut prétendre à une vérité exclusive. Les récits de Pinget s'organisent ainsi

---

56. *Dans le labyrinthe, op. cit.*, p. 78.

autour de témoignages contradictoires et jamais conciliés. *L'Herbe*, de Claude Simon, se construit comme une polyphonie, de même que *Les Géorgiques*, qui juxtaposent et confondent des points de vue appartenant à des temps et des espaces différents – la Convention, la Guerre d'Espagne et la deuxième guerre mondiale. Nathalie Sarraute, dans *Le Planétarium*, fait se confronter une multitude vertigineuse d'opinions contradictoires qui oblitère toute certitude.

En l'absence d'une conscience globalisante qui s'assure la maîtrise du monde par le simulacre d'une vision surplombante dont seul Dieu pourrait jouir, la fiction est désormais incapable d'accéder à un sens plein et univoque. Toujours lié à une conscience singulière située dans le temps et dans l'espace, le réel ne peut se donner que comme fragmentaire, troué, hétérogène, fuyant, insaisissable dans une totalité que l'homme, ne pouvant sortir du monde, ne peut appréhender.

5.3 Le labyrinthe

Fragmentation de l'énonciation, pluralité des points de vue, immersion de la subjectivité dans l'immédiateté du monde sont autant de signes d'une perte de maîtrise qui conduit l'homme à l'égarement. D'une façon générale, les stratégies textuelles à l'œuvre dans les nouveaux récits, fondées sur l'hétérogène et le discontinu, permettent de saisir le monde dans sa complexité égarante. La pensée complexe, expliquent Edgar Morin et Mauro Ceruti, sans épuiser le mystère du réel et tout en assumant ses incertitudes et ses contradictions, « prétend seulement enrichir la connaissance et lutter contre toute mutilation cognitive inconsciente[57] ». La figure du labyrinthe, l'une des plus marquantes de l'imaginaire contemporain, répond au « défi de la complexité » que l'idée métaphysique d'un ordre inaltérable ne peut plus résoudre. Dès l'Antiquité gréco-latine, le labyrinthe, comme voie d'accès médiate à la vérité, configure une pensée métaphysique essentialiste. Le mythe du Minotaure – auquel le labyrinthe est encore rattaché –, en même temps qu'il ouvre sur une pluralité

---

57. *50, rue de Varennes*, Istituto Italiano di Cultura in Parigi, *Si/Complex*, sous la direction de Mauro Ceruti et Edgar Morin, Supplemento italo-francese di *Nuovi Argomenti*, n° 25, marzo 1988.

vertigineuse, offre, avec le fil d'Ariane, l'instrument rassurant qui le réduit. Le labyrinthe unilinéaire, pour égarant qu'il soit, possède une issue vers la lumière. La pensée judéo-chrétienne reprend la métaphore du labyrinthe sans altérer fondamentalement la structure du monde qu'elle supposait dans la pensée grecque : après une vie d'efforts parsemé d'obstacles et de souffrances – figurée par le déroulement tortueux du labyrinthe –, le chrétien trouvera la voie du salut et accédera à la cité de Dieu. Tel est le sens de la figure du pèlerin, dont le cheminement est conçu comme un parcours initiatique. Qu'il soit de structure unilinéaire (labyrinthe du mythe) ou arborescente (labyrinthe baroque), le labyrinthe, de l'Antiquité jusqu'à l'aube de l'ère moderne, suggère un ordre profond dissimulé sous l'apparent désordre, ordre que l'issue de la quête est chargé de révéler. Impliquant un « ailleurs » qui donne son sens à l'« ici », il relève d'une pensée métaphysique. Il se dote ainsi d'une valeur heuristique forte, permettant une explication et une compréhension du monde.

Le labyrinthe « moderne » présente une configuration et un sens bien différents. Ayant perdu son géométrisme euclidien, impossible à dérouler, irreprésentable, il dessine, à l'image du réseau, un parcours aléatoire, privé de centre, de point d'origine et d'issue. Annulant la dichotomie dedans/dehors, extensible à l'infini, sans résolution possible, il devient l'image d'un univers opaque et énigmatique, irrationnel, non maîtrisable, non explicable. La différence avec le labyrinthe « classique » est donc d'abord d'ordre épistémique : la métaphore, dissolvant les oppositions (intérieur/extérieur, centre/périphérie, ici/ailleurs) a perdu de son pouvoir structurant et de sa fonction heuristique. Elle opère ainsi un décentrement du sens de l'idée de fin à l'idée de parcours, un parcours existentiel désorienté et chaotique.

Le labyrinthe, dans les nouveaux récits, emprunte diverses figurations, décelables aussi bien au niveau de la macrostructure qu'à celui de la microstructure. Affectant les structures topologiques, il transforme l'espace fictionnel en espace d'égarement, véritable dédale qui enferme le personnage dans ses monstrueux replis. *Dans le labyrinthe*, de Robbe-Grillet, est à cet égard – on s'en doute – un roman emblématique. Les éléments de désorientation s'accumulent ; la neige, qui efface à mesure les traces de pas, laissant la surface toujours « inentamée », s'ajoute à l'obscurité, au vide, à la répétition :

Alain Robbe-Grillet, *L'Immortelle*. Photographie © Éditions de Minuit.

« Ainsi le soldat ne peut-il savoir si quelqu'un d'autre est passé par là, le long des maisons aux fenêtres sans lumière, quelque temps avant lui. Et lorsqu'il parvient au carrefour suivant, aucune piste non plus ne sillonne les trottoirs de la voie transversale, et cela ne signifie rien non plus[58]. » *L'Homme qui ment* est parcouru par de multiples trajets qui confèrent à l'espace une structure labyrinthique, analogue à celle que construisent les panneaux mondrianesques de *L'Eden et après*. Ici et là s'élaborent, comme autant de mises en abyme, des configurations dominées par l'enchevêtrement et l'inextricable : « [...] le conglomérat final présente une imbrication désordonnée de zones urbaines, rurales ou industrielles, les mêmes artères tour à tour routes, puis traversant d'interminables faubourgs, puis encadrées soudain de magasins illuminés, passant devant des églises, des mairies, des kiosques à musique, puis de

---

58. *Op. cit.*, p. 76.

nouveau, défoncés, entre des trottoirs de mâchefer, des pavillons, des jardinets, parfois même des champs de betteraves, puis rues encore une fois, se croisant, obliquant sans raison, formant un labyrinthe compliqué dans l'espèce de prolifération cancéreuse et anarchique qui s'étend sous le ciel bas à la surface de la terre plate, à peine renflée çà et là par quelques collines[59]. » Dans *La Mise en scène*, l'image obsédante d'une araignée se métamorphose, dans la conscience hallucinée de Lassalle, en un réseau d'une dynamique complexe : « D'autres images s'y sont substituées, des lignes grises qui s'entrecroisent sur un écran blanc. Elles convergent vers le centre, puis, le mouvement s'accélérant, décrivent à toute allure une série de circonférences de faible rayon. Quand la confusion est devenue totale, que les lignes grises se sont fondues en une pelote opaque qui semble tourner sur elle-même avec une lenteur calculée – est-ce la résultante visuelle de cet enchevêtrement de rotations précipitées ? –, une lueur vient iriser le pourtour, d'abord indécise, puis d'un rouge criard strié de traînées violettes » (p. 49).

Le héros de *L'Emploi du temps*, de Michel Butor, égaré dans la périphérie de Bleston, se trouve lui aussi confronté à un brouillage des repères, à une perte du centre : « C'était comme si je n'avançais pas ; c'était comme si je n'étais pas arrivé à ce rond-point, comme si je n'avais pas fait demi-tour, comme si je me retrouvais non seulement au même endroit mais encore au même moment qui allait durer indéfiniment, dont rien n'annonçait l'abolition […][60] ». Le passage souligne l'indissolubilité du lien unissant espace et temps, que confirme tout le récit. Chaque lieu, clairement historicisé, se présente en effet comme un lieu de présence stratifiée de la mémoire. Dans son épaisseur archéologique, l'espace devient métaphore du temps, l'unique façon d'appréhender la durée étant de la projeter sur un parcours. Bleston, espace clos et asphyxiant de l'errance de Revel, reproduit le labyrinthe mental dont il cherche à sortir tout au long de cette interminable anabase conduite par l'écriture. Plan d'intersection de multiples couches de mémoire, le chronotope butorien apparaît ainsi comme une stratigraphie mobile dans la complexité de laquelle Jacques Revel se perd. L'organisation narrative du roman mime de son côté, avec ses trop-plein et ses vides, l'impossible reconstitution archéolo-

---

59. C. Simon, *Triptyque*, *op. cit.*, pp. 62-63.
60. M. Butor, Éd. de Minuit, coll. « Double », Paris, 1956, p. 42.

gique de la mémoire. Jusque dans sa matérialité textuelle – bouleversements chronologiques, ruptures de la linéarité discursive, ressassement confinant à la compulsion répétitive, prolifération de la phrase –, *L'Emploi du temps* est une configuration fictionnelle de la complexité énigmatique du monde. La syntaxe labyrinthique de Claude Simon, qui sature l'espace textuel de ses sinuosités déroutantes en un vain espoir d'abolir le temps, s'inscrit dans une démarche analogue.

Seul l'ordre de l'écriture viendra à bout du désordre du monde.

6. Nouvelle œuvre/nouveau lecteur-spectateur

Par la désorganisation des coordonnées spatiotemporelles, l'érosion du personnage, la marginalisation des contenus humains, la destitution de principes narratifs régis par une logique causale, le traitement prioritaire de la recherche formelle, les nouveaux récits menacent de provoquer chez le lecteur une sensation décevante de vide sémantique. Les attentes que creusait le récit traditionnel se voient ici frustrées, le lecteur se trouvant privé à la fois de la jouissance engendrée par une narration efficace et de l'accès à une « vérité » d'ordre psychologique, politique, moral, métaphysique. Déceptivité inhérente à l'œuvre nouvelle dans la mesure où le texte, refusant de se construire en fonction d'un sens ultime, se donne comme un simple questionnement surgi de lui-même : « Car la fonction de l'art n'est jamais d'illustrer une vérité – ou même une interrogation – connue à l'avance, mais de mettre au monde des interrogations (et aussi peut-être, à terme, des réponses) qui ne se connaissent pas encore elles-mêmes[61]. » Il ne s'agit donc plus de séduire, de rassurer, de convaincre ou de démontrer, mais d'inquiéter et d'ouvrir l'œuvre à une pluralité de significations.

Une telle conception de l'œuvre comme recherche, contredisant l'immuabilité d'un sens univoque, implique une opacité du sens, une mobilité des significations qui assignent au récepteur un rôle capital que souligne Michel Butor : « Particulièrement éclairantes les œuvres dans lesquelles l'activité du lecteur ou spectateur est non seulement reconnue mais exigée, œuvres

---

61. A. Robbe-Grillet, *Pour un Nouveau Roman, op. cit.*, pp. 12-13.

mobiles ayant plusieurs possibilités entre lesquelles il lui faut choisir, à l'intérieur desquelles interprétrer[62]. »

La place du lecteur/spectateur s'inscrit ainsi au cœur du texte, marquant en creux le lieu de reconstruction du récit. Nous sommes loin des « films du samedi soir[63] » et des romans qui « permettent aux lecteurs, confortablement installés dans un univers familier, de se laisser glisser mollement vers de dangereuses délices[64] ». Privé de l'identification qui le ferait adhérer à la fiction, constamment sollicité par ailleurs dans ses qualités d'attention, d'observation, dans sa capacité mémorielle et sa compétence herméneutique, le lecteur/spectateur devient le garant de l'existence de l'œuvre, qui s'actualise dans chaque lecture singulière. Cette exigence d'effort de la part du lecteur, Pinget, à l'instar de ses compagnons, la revendique clairement : « Pourquoi bénéficierait-il d'une clarté d'exposé dont je ne bénéficie pas au cours de mon travail, pourquoi lui mâcherais-je la tâche alors que personne ne me la mâche à moi ? Il doit prendre conscience, probablement à la seconde lecture, qu'il participe lui-même au travail d'élucidation, de décortication que je m'impose page après page, prendre conscience que le livre se fait sous ses yeux avec tous les doutes de l'auteur, ses hésitations, ses passions, ses reculs, ses élans. Comprendre qu'il s'agit là d'une littérature à l'opposé de la classique qui formulait ou prétendait formuler de façon définitive une pensée élaborée *avant*, une situation circonscrite, étayée, annotée et prête à la livraison [...][65]. »

Agressé dans ses habitudes de lecture et stimulé dans ses compétences herméneutiques, le lecteur du *Voyeur* peut ainsi, exaspéré peut-être par une première impression de confusion et l'absence d'une évidence sémantique, se prendre au jeu et détecter progressivement les signes qui ponctuent le texte, formant des chaînes métaphoriques qui vont le mener sur la piste du crime. Cordelette, anneau, dessins divers, fumée de cigarette, vols de mouettes, bicyclette, trajet du personnage..., objets et configurations renvoyant tous au huit couché[66], donnent

---

62. *Répertoires III*, *op. cit.*, p. 20.
63. C'est ainsi que M. Duras désigne les films narratifs.
64. N. Sarraute, *L'Ère du soupçon*, *op. cit.*, p. 165.
65. *Nouveau Roman : hier, aujourd'hui, 2.*, *op. cit.*, p. 317.
66. La figure du huit couché ∞ apparaît, dans le roman, tantôt comme deux cercles accolés, tantôt comme le lémniscate de Bernouilli – « lieu géométrique des points tels que le produit de leurs distances à deux points fixes est constant » (Dict. *Le Robert*). Par un raffinement dû au hasard, le récit manquant se situe à la page 88...

au récit une unité formelle tout en signalant le crime, absent du texte, et situé, dans le hors-texte, à l'intersection des deux boucles du huit.

La jouissance que prend le lecteur à la lecture de telles œuvres naît à la fois, ou selon les cas, de la fascination suscitée par l'ouverture infinie du sens, par la pluralité des constructions possibles, par l'étrangeté fondamentale du monde créé, et de la stimulation de son imaginaire, constamment sollicité par des configurations textuelles déroutantes. « Jouissance » et non « plaisir », car c'est bien du « texte de jouissance », tel que le définit Barthes, qu'elles relèvent : « Celui qui met en état de perte, celui qui déconforte (peut-être jusqu'à un certain ennui), fait vaciller les assises historiques, culturelles, psychologiques, du lecteur, la consistance de ses goûts, de ses valeurs et de ses souvenirs, met en crise son rapport au langage[67]. »

Cette conception déstabilisante et dynamique de l'œuvre, à la recherche de formes nouvelles et d'un homme nouveau, implique du même coup la création d'un public nouveau, qui s'invente avec le livre ou avec le film. Cela justifie, selon Robbe-Grillet, les petits tirages que connurent la plupart des Nouveaux Romans à leur sortie, à une époque où ils n'avaient pas encore créé leur lectorat.

---

67. *Le Plaisir du texte*, Seuil, coll. « Points », Paris, 1973, pp. 25-26. « Texte de plaisir : celui qui contente, donne de l'euphorie ; celui qui vient de la culture, ne rompt pas avec elle, est lié à une pratique *confortable* de la lecture. »

EN GUISE DE CONCLUSION

Le Nouveau Roman est entré dans l'histoire littéraire. Jusqu'à leurs dernières œuvres, les écrivains sont restés fidèles à eux-mêmes. La subjectivité et le vécu personnel, implicitement présents dans leurs récits antérieurs, investissent volontiers, cette fois de façon explicite, leurs textes, sans pour autant constituer un retour à des conventions génériques. Nathalie Sarraute repense le genre autobiographique en introduisant, dans *Enfance*, un dialogisme en contrepoint qui remet en cause le modèle traditionnel. Robbe-Grillet publie entre 1985 et 1994 la trilogie « néo-autobiographique » des *Romanesques*, d'aucuns prenant aussitôt prétexte de cette supposée régression pour accuser l'auteur du péché de contradiction, voire de conformisme. Or, ce qui frappe, au-delà de l'apparente rupture que représente le choix de la posture énonciative, c'est l'étonnante persistance de l'écrivain dans la déconstruction. Drôles de mémoires, en effet, que les *Romanesques*, où le souvenir s'avoue faillible, où les fantasmes se mêlent au « réel » sans hiérarchie aucune, où les récits se contredisent, et que traverse ce personnage fabriqué – Henri de Corinthe –, surgi à la fois de l'enfance et de la littérature, sorte de double mythique de l'auteur. Le dernier volet du triptyque – *Les Derniers Jours de Corinthe* – pousse le jeu de la déconstruction jusqu'à dédoubler l'énonciation, le « je » narrateur renvoyant tantôt à Alain Robbe-Grillet, tantôt à Henri de Corinthe. Le livre, qui est aussi une réflexion sur l'écriture, dit lui-même l'impossible autobiographie : « Comme à chaque fois que je me laisse aller à "raconter", au cours de ma vacillante aventure polymorphe, dans le louable souci de me rapprocher (à l'occasion) du sérieux autobiographique, j'éprouve au bout de quelques pages mainte sensation désagréable et confuse, me conduisant vite au rejet. […] Que ces menus événements soient ou non dénués de la moindre importance ne constitue pas le problème essentiel. Après tout, notre vie, comme son nom l'indique, était vivante, c'est-à-dire – répétons-le – incertaine, mouvante, contradictoire, sitôt surgie que déjà perdue. Tandis que tout récit, même tremblant, même morcelé par des crevasses ou menacé par des frondrières, en donnera une image relativement ferme et qui va sembler, en un sens, définitive. Le choix précis des mots, l'ordonnance des phrases, le rationalisme des enchaînements syntaxiques, la publication imprimée, tout va concourir à ce *scripta manent*, si nuisible en principe à mon aspiration (est-ce bien sûr ?), si contraire du moins au projet reconnu[1]. »

Quant à Claude Simon, il vient de publier, à l'âge de quatre-vingt-quatre ans, un ouvrage intitulé *Le Jardin des Plantes*, sorte d'autobiographie éclatée, mosaïque de souvenirs en bribes – souvenirs vécus et ressassés, souvenirs déjà textualisés – que dessine la typographie morcelée des premières pages. Les différents exergues renvoient à l'impossible unité de l'être, à l'impossible vérité, à l'impossible saisie de l'existence que dément pourtant l'œuvre elle-même. Toujours obsédé par l'inaptitude du langage verbal à dire la simultanéité mouvante des sensations, « S » (alias Simon) clôt le livre par le découpage plan par plan d'un fragment de *La Route des Flandres*, comme s'il confiait à l'écriture cinématographique ce dont l'écriture littéraire s'avouait incapable…

Cette volonté persistante de remise en cause, cette constante inquiétude qui pousse les Nouveaux Romanciers à rechercher sans cesse de nouvelles formes, s'exerce lucidement sur leur propre création, apportant la meilleure preuve de leur vitalité : « Maintenant que le Nouveau Roman définit de façon positive ses valeurs, édicte ses lois, ramène sur le droit chemin ses mauvais élèves, enrôle ses francs-tireurs sous l'uniforme, excommunie ses libres penseurs, il devient urgent de tout remettre en cause[2] », écrivait déjà Robbe-Grillet en 1978.

Le nouveau cinéma, plus confiné encore dans l'élitisme que le Nouveau Roman, en vertu de l'écart considérable qu'il constitue par rapport au cinéma dominant, a plus de mal à survivre. Un film qui fait peu d'entrées est condamné à la marginalisation commerciale et menace l'existence même des films à venir. Le cinéaste s'épuise dans les luttes ingrates, à la recherche d'un financement, d'une production, d'une diffusion. Marguerite Duras finit par abandonner le cinéma, Robbe-Grillet s'obstine et poursuit tant bien que mal son exploration en marge des préoccupations qui dominent la production cinématographique. Quant à l'œuvre d'Alain Resnais, riche et abondante, elle

---

1. Éd. de Minuit, Paris, pp. 187-188.
2. A. Robbe-Grillet, revue *Minuit*, n° 31, Paris, 1978.

s'est développée dans un sens un peu différent, revenant à une narrativité plus conforme aux attentes du public. Reste que les films qui importent au cinéma les préoccupations du Nouveau Roman ont insufflé une vie nouvelle à la création cinématographique en inventant des formes expressives insoupçonnées qui ouvrent elles-mêmes la voie à d'inépuisables combinaisons formelles susceptibles de libérer un imaginaire en perpétuel mouvement.

Imprimerie IFC - *Askréa* - 18390 Saint-Germain-du-Puy
N° édition 10048461-(I)-(2,5)OBST 80
Dépôt légal : septembre 1998 - N° d'impression 98/873

BIBLIOGRAPHIE SÉLECTIVE

1. Œuvres du Nouveau Roman

(Nous nous limiterons à signaler un certain nombre d'ouvrages significatifs.)

BECKETT Samuel, *Murphy* (version française 1947, 1965) ; *Molloy*, 1951 ; *Malone meurt*, 1951 ; *L'Innommable*, 1953 ; *Watt*, Éd. de Minuit, Paris, 1953.

BUTOR Michel, *Passage de Milan*, 1954 ; *L'Emploi du temps*, 1956 ; *La Modification*, 1957 ; *Répertoire I*, 1960 ; *Répertoire II*, 1964 ; *Répertoire III* ; *Répertoire IV* ; *Répertoire V*, Éd. de Minuit, 1982.

DURAS Marguerite, *Moderato cantabile*, Éd. de Minuit, Paris, 1958 ; *Le Ravissement de Lol V. Stein*, Gallimard, Paris, 1964 ; *Détruire, dit-elle*, Éd. de Minuit, Paris, 1969 ; *India Song*, Gallimard, Paris, 1973.

MAURIAC Claude, *Le Dîner en ville*, 1959 ; Gallimard, Paris, 1985 ; *La Marquise sortit à cinq heures*, Albin Michel, Paris, 1961.

OLLIER Claude, *La Mise en scène*, Éd. de Minuit, Paris, 1958 ; Flammarion, Paris, 1982 ; *Le Maintien de l'ordre*, 1961, Flammarion, Paris, 1988 ; *Été indien*, Flammarion, Paris, 1963.

PINGET Robert, *Entre Fantoine et Agapa*, 1951 ; *Mahu ou le Matériau*, 1952 ; *Le Fiston*, 1959 ; *Clope au dossier*, 1961 ; *L'Inquisitoire*, 1962 ; *Passacaille*, 1969 ; *Cette voix*, Éd. de Minuit, Paris, 1975.

RICARDOU Jean, *L'Observatoire de Cannes*, 1961 ; *La Prise de Constantinople*, 1965 ; *Les Lieux-dits*, Gallimard, Paris, 1969.

ROBBE-GRILLET Alain, *Les Gommes*, 1953 ; *Le Voyeur*, 1955 ; *La Jalousie*, 1957 ; *Dans le labyrinthe*, 1959 ; *La Maison de rendez-vous*, 1965 ; *Souvenirs du triangle d'or*, 1978 ; *Le Miroir qui revient*, 1984 ; *Angélique ou l'Enchantement*, 1987 ; *Les Derniers Jours de Corinthe*, Éd. de Minuit, Paris, 1994.

SARRAUTE Nathalie, *Tropismes*, Denoël, 1939 ; Éd. de Minuit, Paris, 1957 ; *Portrait d'un inconnu*, 1947 ; *Martereau*, 1953 ; *Le Planétarium*, 1959 ; *Les Fruits d'or*, 1963 ; *Vous les entendez ?*, 1972 ; *Enfance*, Gallimard, Paris, 1983.

SIMON Claude, *Le Vent*, 1957 ; *L'Herbe*, 1958 ; *La Route des Flandres*, 1960 ; *Le Palace*, 1962 ; *La Bataille de Pharsale*, 1969 ; *Triptyque*, 1973 ; *Les Géorgiques*, 1981 ; *L'Acacia*, 1989 ; *Le Jardin des Plantes*, Éd. de Minuit, Paris, 1997.

2. Ouvrages de synthèse sur le Nouveau Roman

Actes du Colloque de Cerisy-La-Salle, *Nouveau Roman : hier, aujourd'hui, 1. Problèmes généraux* ; *2. Pratiques*, UGE, coll. « 10/18 », Paris, 1972.

ALLEMAND Roger-Michel, *Le Nouveau Roman*, Ellipses, Paris, 1996.

BLANCHOT Maurice, *Le Livre à venir*, Gallimard, Paris, 1959.

BUTOR Michel, *Essais sur le roman*, 1964 ; *Répertoire I*, 1960 ; *Répertoires II*, 1964 ; *Répertoire III*, 1968 ; *Répertoire IV*, 1974 ; *Répertoire V*, Éd. de Minuit, Paris, 1982.

Le Débat, n° 50, Gallimard, Paris, mai-août 1988.

JANVIER Ludovic, *Une parole exigeante. Le Nouveau Roman*, Minuit, Paris, 1964.

MAURIAC Claude, *L'Allitérature contemporaine*, Albin Michel, Paris, 1969.

ROBBE-GRILLET Alain, *Pour un Nouveau Roman*, Éd. de Minuit, Paris, 1963.

RICARDOU Jean, *Problèmes du Nouveau Roman*, Seuil, coll. « Tel Quel », 1967 ; *Pour une théorie du Nouveau Roman*, Seuil, coll. « Tel Quel », 1971 ; *Le Nouveau Roman*, Seuil, coll. « Écrivains de toujours », 1973 ; *Nouveaux Problèmes du roman*, Seuil, Paris, 1978.

SARRAUTE Nathalie, *L'Ère du soupçon*, Gallimard, Paris, 1956.

3. Filmographie du nouveau cinéma

(De la filmographie très riche d'Alain Resnais, nous n'avons retenu que les trois premiers films, particulièrement significatifs de l'esthétique du nouveau cinéma.)

DURAS Marguerite, *La Musica* (coréalisé par Paul Seban), 1967 ; *Détruire, dit-elle*, 1969 ; *Jaune le soleil*, 1971 ; *Nathalie Granger*, 1972 ; *La Femme du Gange*, 1973 ; *India Song*, 1975 ; *Baxter Vera Baxter*, 1976 ; *Son nom de Venise dans Calcutta désert*, 1976 ; *Des journées entières dans les arbres*, 1977 ; *Le Camion*, 1977 ; *Navire Night*, 1978 ; *Césarée* (court métrage), 1979 ; *Les Mains négatives* (court métrage), 1979 ; *Aurélia Steiner « Melbourne »* (court métrage), 1979 ; *Aurélia Steiner « Vancouver »* (court métrage), 1979 ; *Agatha ou les Lectures illimitées*, 1981 ; *L'Homme atlantique*, 1981 ; *Les Enfants*, 1985.

RESNAIS Alain, *Hiroshima, mon amour*, 1959 ; *L'Année dernière à M[…]bad*, 1961 ; *Muriel ou le temps d'un retour*, 1963.

ROBBE-GRILLET Alain, *L'Immortelle*, 1963 ; *Trans-Europ-Express*, […] *L'Homme qui ment*, 1968 ; *L'Eden et après*, 1971 ; *N. a pris les dés*, […] *Glissements progressifs du plaisir*, 1974 ; *Le Jeu avec le feu*, 1975 ; *[…] Captive*, 1982 ; *Un bruit qui rend fou* (coréalisé par Dimitri de Clercq)[…]

4. Ouvrages sur le nouveau cinéma

Avant-Scène Cinéma, spécial *Alain Resnais*, n°s 60-62, juil.-sept. 196[…]

BENAYOUN Robert, *Alain Resnais arpenteur de l'imaginaire*, Stoc[…] Ramsay, coll. « Poche cinéma », Paris, 1985.

BORGOMANO Madeleine, *L'Écriture filmique de Marguerite Duras* […] tros, Paris, 1985 ; *India Song* (Marguerite Duras), L'Interdisciplina[…] nest, 1990.

CHATEAU Dominique, JOST François, *Nouveau Cinéma, nouvelle sé[…] essai d'analyse des films d'Alain Robbe-Grillet*, UGE, coll. « 10/1[…] 1979.

CLERC Jeanne-Marie, *Littérature et Cinéma*, Nathan Université, Pa[…]

ESTÈVE Michel, *Alain Resnais et Alain Robbe-Grillet : l'Évolution* […] *ture*, Lettres modernes, Paris, 1974.

GARDIES André, *Alain Robbe-Grillet*, Seghers, coll. « Cinéma d'au[…] Paris, 1972 ; *Approche du récit filmique*, 1980 ; *Le Cinéma de R[…] Essai sémiocritique*, Albatros, Paris, 1983.

JOST François, *Alain Robbe-Grillet, Œuvres cinématographiq[…]* vidéographique critique, minitère des Relations extérieures, Cell[…] tion culturelle, Paris, 1982.

LIMAM-TNANI Najet, *Roman et cinéma chez Marguerite Duras* […] Les éditions de la Méditerranée, Faculté des sciences humaines […] Tunis, 1996.

Les Cahiers du cinéma, n° 185, Paris, 1966.

OMS Marcel, *Alain Resnais*, Rivage, coll. « Rivages cinéma », […]

PRÉDAL René, *Alain Resnais, Études cinématographiques*, n°s […] modernes, Paris, 1968.